エネルギー・マンション・年金・赤字国債

問題解決提案書

福永博建築研究所

海鳥社

はじめに

　今、日本において困っていることは３つあると思われます。それは、歳入が足らずに発行された赤字国債、次に年金の不安、３つ目が原発。この３つを解決する方法が見当たらずに困っています。そこで、以下のような提案をしたいと思います。

　まず、赤字国債は一度使われています。それは年金や医療など、福祉のためです。毎年使われてきました。そして日銀の量的緩和により、今は日銀に集められています。このお金をもう一度使うのです。それは、建設国債を発行し、赤字国債と交換するというものです。お金同士の交換ではなく、国債と国債同士の交換を行います。交換により建設国債が残る仕組みをつくるのです。その使い道をお話ししていきます。

　日本では古いマンションの建て替えが遅々として進んでいません。このままでは、人が年をとるように、マンションも人が住めなくなり、空室が多く出て、都市・街が荒廃してしまいます。建て替えにあたり、住民の賛同を得やすいのは、お金が掛からない方法です。その方法は、30年間の居住する権利と、所有権を交換するというものです。住民にとってはお金が掛からず、30年間の住まいを得ることができます。これが「マンションの無料建て替え」です。

　GPIF（年金積立金管理運用独立行政法人）にとっては、31年目～60年目の間は元金の返済をしてもらい、61～100年目の間は収入となります。GPIFは100万戸の大家になることで、61年目以降40年間にわたり毎年約1.2兆円の収入を得ます。これは毎年の基礎年金の約40％に当たり、年金を支える人の減少にも対応することができます。

　この提案の要点は次のようになります。
　①100年使える建物をつくること
　②年金（GPIF）が不動産に投資すること
　③建物の所有権と利用権の交換
　次に、最もお金を使うのはエネルギーです。今の

日本は、石油、ガスなどの化石燃料で、必要な電気の80％をつくっています。その輸入費は16兆円という大きな額です。支払いはドルでなされています。今は無事ですが、収支のバランスが取れないと大変なことになります。

　この解決方法として、化石燃料の輸入費の半分を投資することで、お米をつくりながら田んぼの上空で発電します。これが「田んぼの発電所」です。日本の田んぼの30％を使えば、必要電力の20％を賄うことができます。年間250kWhの電気をつくる農家は、800万円の年収を得ることになり、米づくりの後継者が集まります。投資額は年７兆円、10年で70兆円を見込みます。現在の太陽光パネルの耐用年数からして、25年を目安にします。100年で４回の投資を行うとすれば、280兆円を使うことになります。それは同時に、100年で赤字国債を280兆円減らすことにつながるのです。

　歴史は、エネルギーの争奪が戦争につながることを示しています。エネルギー問題の解決が、日本の安定にとって重要なのです。

　また、国が荒れないためには、平和が何より大切です。日本にできること、それは戦争の放棄を各国に求め、各国の憲法に記載するよう働きかけることです。目標は100カ国とします。第２次世界大戦の戦勝国を中心とした核を保有する国々に対峙することが必要となります。

　ここで赤字国債の消滅についてまとめると、マンションの無料建て替えで年間3.5兆円、10年で35兆円となり、田んぼの発電所の280兆円と合わせた315兆円のお金を交換することで、赤字国債を消滅させます。

　国の予算が足らずに、毎年、赤字国債が発行されています。今年は40兆円を超えています。これから、毎年発行されることは明白です。

　今求められているのは、国民を心理的に圧迫し続

けている負債が、赤字国債と建設国債の交換により消える方策を、国民に具体的に提示することです。

あとはドルの話ですが、日本は米国債に約160兆円のお金を投資して、保有しています（2023年8月、1ドル145円換算）。そのお金の利子が国際収支を黒字化へと導いています。仮にこの利子が入らなかったら、貿易収支は赤字となります。160兆円の資産が戻れば補填できますが、戻らない時は化石燃料を買うことができなくなります。その他にも、本書で目標としている化石燃料の輸入費の20％の削減は大きな力になります。

3つの問題の最後に原発があります。原発に替わるものとして何があるかを問い続けて、先に述べた「田んぼの発電所」へ行き着くことができました。

よく質問されるのは、太陽光に頼ると天気次第となってしまうし、夜はどうするのかということです。これに対する答えとして、天気の変動に備えて予備のガスタービンの発電を行います。時間が掛かる石炭の発電に比べて、起ち上がりが5分ほどと早く、天気の変動に間に合うとされています。夜に備えて都市の中に蓄電所を設け、送電ロスもカバーしていきます。都市の7割は住宅とされていますが、それぞれの住居が蓄電所となるのです。「マンションの無料建て替え」の100万戸には、蓄電装置を組み込みます。

赤字国債と建設国債の交換については、疑問を持つ方もいると思います。赤字国債は日銀が所有しています。売るときは現金となります。

建設国債は政府が発行し、国会の承認を得て所有します。ただし、現金の裏付けがありません。その代わり、額面の価値があります。一旦交換となると、建設国債は額面通りの価値として通用します。政府の裏付けがあり、交換により赤字国債を買い入れたことになります。政府にとって国債は資産となり、凍結ができることにより、負債に記載せず、資産として記載することが可能となります。

次に、日銀が交換により所有したのは建設国債です。日銀から市場に出すことで現金となり、目的のために現金を投資できることになります。年金に使う場合は、日銀からGPIFへ無償譲渡します。現金に換えるには、銀行がその建設国債を買い取るので

す。そのお金は日銀から銀行に貸し付けられます。

今まで、日銀が保有する赤字国債を消滅させる方法は、誰からも提案されたことがありません。

ここまで紹介した「田んぼの発電所」、「マンションの無料建て替え」に、高齢者の理想のコミュニティである「シルバータウン」を加えて「3つの用意」と呼んでいます。

この「3つの用意」は、万一の事態が起きた場合のシナリオを考え、回復までの時間を短くするために、朝鮮戦争時の特需のようにお金を大量に投資する方法を考え、現在は法律上不可能でも、架空の設定で可能かどうかを検証する必要があるという発想から生まれました。

本書の第1～3章は「3つの用意」の解説と、その裏付けとなる資料です。そして第4章の「赤字国債を消す方法」は、そのお金を、どのようにしてつくり出すか、という道筋を改めて提示したものです。

■この本の使い方

第1番目に、6頁以降の「ひとことでまとめた『3つの用意』」を見て下さい。

第2番目に、興味がある提案と解決方法について、各章で詳細をご覧下さい。

第3番目に、特許文でその理解を深めて下さい。

第4番目に、もっと知りたい時は、すでに発行している本をご覧下さい。

この本の提案は、建築家の空想から生まれたものです。大学では三次元の世界を学び、建築を理解してきました。やがて四次元の世界に変わり、今は空想の五次元の世界です。今回の提案は空想の世界のお話ですが、今の日本にとって必要なことです。

提案するのは、万が一の場合のお金の使い方です。お金は赤字国債を建設国債と交換してつくります。交換により、赤字国債を消します。

「３つの用意」（概要）

　2017年、『破綻後、経済を立て直す具体策　３つの用意』という本を出版しました。このままでは、日本の財政は行き詰まり、かつてのブラジルやロシアのように、国債のデフォルトからハイパーインフレになり、国民生活、特に高齢の年金受給者の生活が成り立たなくなって3,000万人の高齢者が生活に窮する、そう考えて書いたのがこの本です。自分の仕事を通じて対策を考え、解決方法を示しています。

　第１番目は、「田んぼの発電所」です。現在、農業者の平均年齢は、66歳に達しています。若い人が後を継がない最大の理由は、農業収入が少ないことです。そこで、田んぼの上空に太陽光発電のパネルを配置し、稲作をしながら農家に売電収入を得てもらいます。仮に、電気代の22円にプラス10円の32円で計算すると、250kW のシステム容量なら、800万円の年収が見込めます。パネルの配置は、建築設計の日影の計算を応用し、稲の生育に影響が出ないことを５年間の実証実験で確認しています。日本の田んぼの総面積の30％の上空を使って太陽光発電を行えば、総発電量の20％を賄うことができます。順調にシステム容量が増えていけば、東日本大震災以前に原発が担っていた発電量に匹敵する発電量となり、エネルギーの自給も可能になります。農業の再生とエネルギーの自給の問題が同時に解決します。

　第２番目は、「シルバータウン」です。「働・学・遊」というコンセプトで、高齢者のための住民自治に基づいたシルバータウンをつくり、１日４時間ほど、簡単な農業や太陽光発電など、高齢者に相応な健康のための労働をし、年金相当額の収入を得られるような、田舎の理想のコミュニティを目指します。これによって、都市から田舎への高齢者の移住を促進します。自然環境に恵まれた場所でのシルバーの「余生」ではない、知恵と経験を十分に活かした新たなコモンズ（共同体）のまちづくりが始まります。

　第３番目は、「マンションの無料建て替え」です。住民が高齢化して金銭的なゆとりがなく、余剰容積によっても資金を捻出することができない場合、マンションを建て替えることはできず、いずれ荒廃していきます。老朽化したマンションを300年住宅仕様で建て替え、50年目、75年目の２回の改修で、100年間住み続けられるようにします。資産価値の高まったマンションは、未来からの家賃収入をもたらすことができます。100年から60年を差し引いて、未来の40年間分、10万円／月で5,000万円の家賃運用ができます。未来のお金を担保に、無料建て替えができます。30年住むことができれば、60歳から90歳までの住まいを確保できます。

　以上が「３つの用意」の内容です。経済的に行き詰まっても、大量のお金を流す水路をつくっておき、高齢者の生活を高水準で維持できる年金システムがあれば、安心できます。これにより若い人たちの将来の不安を払拭し、併せて子供を生み育てる環境を提供すれば、人口減少の歯止めになると考えます。次頁以降、「３つの用意」の内容をひとことで言い表していきます。

日本の不安解消

今の日本の不安は、①**赤字国債**、②**年金**、③**エネルギー**の3つです。

この不安を解消する仕組みが必要です。

3つの用意は、万一の場合の、大量のお金の使い方の提案です。

赤字国債を減らす方法があります。

これまでの赤字国債は、年金や医療など、福祉のために使われてきました。

そして現在は、量的緩和により、日銀に集められています。

このお金をもう一度使う仕組みをつくります。

それは建設国債をつくり、赤字国債と交換するのです。

お金同士の交換ではなく、国債と国債同士の交換を行います。

交換によって赤字国債が消えます。

この交換の仕組みを使って、これからの日本に必要なことに投資します。

日銀はこの建設国債を「年金機構」に無償譲渡します。

残った建設国債を使って、年金機構が投資を行います。

1

投資は「年金の財源をつくる」ことに集中する

将来的に安定して年金を支給するためには、安定した財源が必要です。

今までは、税金と赤字国債で不足する年金資金を補っていました。

また、年金の資金運用は金融商品のみで運用しています。

無償譲渡された建設国債を使って収入が得られる分野に投資し、

年利5％を得て、年金の財源とします。

投資する分野は、

「住宅＝**マンションの建て替え**」と「**自然エネルギー**」です。

投資から収入を得ます。

建設国債は赤字国債と違い元金を戻します。

元金を戻すことが交換する条件となります。

お金を戻せる投資をすることが重要です。

2

マンションの建て替えをスムーズに進める

日本では、築40年以上経って老朽化が進んだマンションが100万戸を超えました。

築40年を経過したマンションは、旧耐震基準でつくられているため、地震に強いマンションへの建て替えが必要です。

しかし、住民の合意を得ることが難しいため、建て替えられたマンションはわずか300棟に過ぎません。住民が歳をとり、難しさが増しています。建て替えにあたり、住民の賛同を得やすいのは、お金が掛からない方法の提案です。

そのために、**30年間居住できる権利と、所有権の交換を用います。**

住民にとっては建物をつくることにお金が掛からず、30年間の安心した住まいを得ることができます。

年金機構は100万戸の大家になることで、61年目以降40年間にわたり毎年約1.2兆円の収入を得ることができます。 これは毎年の基礎年金の約40%に当たり、年金の安定した大きな財源となります。

なお、元金の返済には、31年目～60年目の間の家賃収入を充てます。

そのためには、100年以上安心して住むことができる（貸すことができる）、「300年住宅」にすることが必要です。

田んぼの発電所で、化石燃料を減らす

社会でもっともお金を使うのはエネルギーです。

今の日本は、石油、石炭、ガスなどの化石燃料と原子力で電気をつくっています。

化石燃料の割合を減らす目的で、「**令和の農地改革**」を行い、**田んぼの上空で電気をつくります。**

日本の田んぼの30%を使えば、必要電力の20%をつくることができます。

投資額は年7兆円、10年で70兆円を見込みます。償還年数は25年を目安にします。

100年で4回の投資を行うとすれば、4回で280兆円を使うことになります。

それは同時に、100年で赤字国債を280兆円減らすことにつながるのです。

投資額の5％を年金のための年間財源とします。

投資額が70兆円の場合、年金としての収入は70兆円 × 5％＝3.5兆円となります。

太陽光発電で日中発電した電気を、自動車やマンションに蓄電して有効に使います。

マンション建て替えと田んぼ発電所への投資で、
基礎年金の収入を得る

建て替えた100万戸のマンション大家としての家賃収入は1.2兆円。

太陽光発電の収入3.5兆円を合わせれば、1.2兆円＋3.5兆円＝4.7兆円となり、

国民年金の歳出額（2017年、4.2兆円）を超えます。

一番の問題は1,200兆円の赤字国債が減らせないこと。

しかし、減らす方法を画くことができます。

交換により280兆円の赤字国債が消え、投資利益が5兆円。

そして元金が戻るお金の新しい使い方を具体的に示すことができます。

■ 国際収支の話

日本は米国債に160兆円のお金を投資して、保有しています。

そのお金の利子が国際収支を黒字化へと導いています。

万一この利子が入らくなったら、貿易収支は赤字となります。

160兆円の資産が戻れば赤字を補填できますが、戻らない時は化石燃料を買うことができなく

なります。

その他にも、化石燃料の輸入に必要なドルの20％の節約は大きな力になります。

5

赤字国債を吸収する方法として「交換」は有効である

必然性を考えると

歴史は

〈為替〉　為替は、イタリア・フィレンツェで発達した

〈紙幣〉　「金(きん)」の裏付けで紙幣を発行し、ルイ14世の財政を救ったフランス

〈国債〉　政府の借金を議会承認により国債に変えたイギリス

現在は

金融緩和により増加し続ける赤字国債を吸収する方法を必要としている

①交換　　赤字国債と建設国債を交換し、年金で現金化する

②使い道　国民が不安としている年金・エネルギー・住まいへの投資に使う

③合意　　年金の維持、収入資金としてみんなの合意を得る。年金は福祉の"要"である

④返済　　建設国債の返済は、エネルギー 25年、住まいは60年後から40年の返済。

　　　　　ローンは未来への支払いを行うが、交換は未来の収入を担保して働く。

　　　　　交換により赤字国債を減らした日本になる提案

6

万一の場合の対処をあらかじめ「3つの用意」で準備する

恐慌で

〈ルーズベルト〉　アメリカはフーバーダムと航空母艦3隻をつくった

〈ヒトラー〉　　　ナチスはアウトバーン（高速道路）と大量の戦車をつくった

〈日　本〉　　　　金本位制を止め、二・二六事件を起こし、大和・武蔵などの戦艦を
　　　　　　　　つくった

いずれも大量のお金は軍拡に向かい、第2次世界大戦につながった。

万一の場合、大量のお金の使い道を考えておく必要がある。

「3つの用意」は万一の場合のお金の流れづくり

・赤字国債と建設国債を交換して、280兆円の赤字国債を解消する

・3つの用意は、万が一の時の大きなお金の使い道（投資）をあらかじめ用意すること

・投資先：エネルギーは「田んぼの発電所」、住まいは「マンション建て替え」

・目的は、年金の安定収入とする（基礎年金分：約4兆円に相当）

7

メッセージ

交換は貨幣がつくられる前の古代の方法ですが、増え続ける赤字国債に対応する建設国債は、赤字国債を吸収する有効な方法と考えてきました。

私が、エネルギーやマンションの建て替え問題を解決するための鍵として考え続けたのは、日本の中で一番広い面積を持ち、日当たりの良い「田んぼ」です。

農家は高齢化しており、耕作放棄地がさらに増えれば、すぐに国土は荒れていきます。エネルギーの生産を田んぼで行えば、農業は復活します。

誰も手をつけたがらない、日銀にある500兆円を超える赤字国債は無限のお金と同じと考えると、年金の支払いを続けていくことができます。建築国債との交換という方法をとることで、将来も安定して年金を受給できる安心へと導く道筋がつくられるのです。

日本にとって、どうしたら良いかを考えた上での、政策としての提案です。

8

Contents
目次

第 1 章
エネルギー問題の解決策

「米と発電の二毛作」の要点

米と発電の二毛作
福永博建築研究所

「原発即ゼロ」やればできる
絵空事ではない建築家の答え

それは、
水田で従来通り米をつくり、
収穫後は引き続き
その水田で太陽光発電を行う
全く新しい発想。

海鳥社●定価（本体1000円＋税）

エネルギー問題の「解決策」は、
総発電量の30％を田んぼの上空でつくることです。

この節では、2014年に出版した「米と発電の二毛作」の本の要約に、
その後の日本の向かうべき「営農型太陽光発電」の仕組みを加えて、
連載形式で記載しています。

詳細や動画については「米と発電の二毛作」の
専用ホームページでご覧いただけます。
https://www.pv-rice.com/

第**1**回　**４つの課題を太陽光発電で解決を図る**

　2014年に出版した『米と発電の二毛作』の本の要約を、14回に分けて公開していきます。

　第１回は「原発54基分に替わるエネルギーづくり」です。

　それは、水田で従来通り米をつくりながら、その水田の上空で太陽光発電を行う新しい発想です。

　日本は、①高齢化による社会保障関係費（医療・介護・生活保護）の増加、②赤字国債、③再生可能エネルギーへの転換、④化石燃料の輸入費用の増加、という４つの問題を抱えています。田んぼには、⑴シルバータウンでの発電で１％、⑵企業参入による発電で10％、⑶農家が行う「田んぼの発電所」で20％、合わせて日本の年間発電量の30％を「太陽光発電」で賄うことで日本の課題を解決する力があることを提案しています。

　小泉進次郎環境相（当時）も発言していましたが、化石燃料の輸入に充てている資金（約33.5兆円/2022年）を再生可能エネルギーの普及のために回すことで、導入を加速させることができます。発電と併せて重要なのは、それを蓄電する仕組みをつくることです。

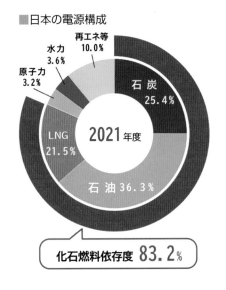

■日本の電源構成

再エネ等 10.0％
水力 3.6％
原子力 3.2％
石炭 25.4％
LNG 21.5％
2021年度
石油 36.3％

化石燃料依存度 **83.2**％

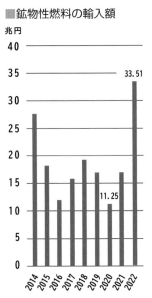

■鉱物性燃料の輸入額

兆円

40
35　33.51
30
25
20
15
11.25
10
5
0

2014 2015 2016 2017 2018 2019 2020 2021 2022

資料：財務省「貿易統計」より作成

絵空事から始まる計画の実現

■5カ所のモデルをつくり、1,000社の企業規模

計画は次のような段階で進めます

まず、ワイヤー式太陽光発電としては、全国で唯一である佐賀市三瀬の「田んぼの発電所」に基づき、全国で5カ所の「モデルケース」を募集します。この案件でさらに改良を重ねます。

次に、実用化の案件として企業の導入を図ります。当初の目標は総発電量の10％で、全国で民間企業1,000社の参入を目指します。

導入に必要な資金90兆円は建設国債で調達します。

■共有と総有

山林原野などの入会地や海における漁業権などは、関係する人々が共同で利用する形態です。田んぼの所有権は個人にあります。そして、田んぼの上空を「公」（みんな）のものとして考えます。田んぼの上空を入会地のような「共有」「コモンズ」といった空間と考えます。

多くの人の共通の利益を守るためには、個人の「所有」から「共有・総有」へと利用形態を変える必要があります。田んぼの上空を社会の「共有」と考えることで、エネルギーをつくるための大規模な社会的投資を、「田んぼの発電所」に対して行うことが可能になります。そして、そこから生じる利益を「シェア」するのです。田んぼの上空に対する考え方を共通認識とすることが基本となります。

田んぼの発電所　　　　　　　　　　　　　　　　　　【特許取得済み】

第 3 回

1,000社の民間企業の参入による10%の発電、次に農家への直接投資

　田んぼの上空で行う太陽光発電に、1,000社の民間企業が参入して、日本の総発電量9,000億 kWh の10%、900億 kWh を太陽光発電で賄うことを目標とします。

　ここで発電した電気を32円/kWh で買い取ると、総買取費用は２兆8,800万円になります。なお、日本の化石燃料の輸入額は約17兆円で、このうち、日本の総発電量10%に相当する化石燃料費は２兆2,700億円です。この化石燃料の購入費用を、田んぼの発電所で発電した電気の買取資金（＋10円/kWh に相当）に充てることで、日本の総発電量の10%を再生可能エネルギーで賄うことができます。課題④の化石燃料の輸入費用の増加を抑えます。

　田んぼの上空で発電することで、輸入に頼る化石燃料の割合を10%減らすことができます。民間企業の参入が成立した後、次は農家に対する直接投資を行います。

　直接投資により、農家の売電収入は年間800万円を見込めます（250kW システムで年間25kWh を発電し、32円kWh で売電した場合）。

　返済と収入が増加し、農家の後継者が増え、農業の安定化が図れます。お米と電力の「田んぼの二毛作」です。目標の発電量は20%です。農家単位では設置や運営が難しいので、まずは企業でしっかりと足元を固めます。

　田んぼの発電所の設置やメンテナンスを1,000社の企業が分担し、実現する計画です。

化石燃料を運ぶタンカー

第 4 回 「田んぼの発電所」の標準50kWシステムで広さ1.5反

　田んぼの発電所の基本ユニットは、A字型の柱4本で、スパン20m×8m＝160㎡（高さ3ｍ）の広さと空間をつくります。この仕組みは、農作業に支障がなく、収穫量も変わりません。

　佐賀市の三瀬で5年間試作しています。この広さの上空に、(A)1年中発電をするパネル26枚、(B)稲作中は裏面で発電し、稲刈り後は反転して上に向いて発電する24枚、合計50枚のパネルを設置して発電します。250Wのパネルが50枚なので、規格容量は合計12.5kWです。

　この基本ユニットを4セットで「50kW」の標準システムとします。この50kW標準システム（12.5kW×4セット）で使う田んぼの基本の広さは1.5反としています。

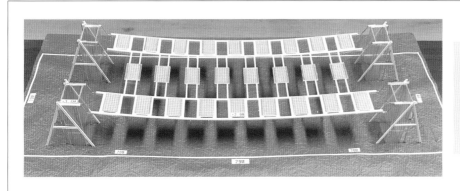

模型は1年間上を向いている
26枚のパネルを表し、
裏面のパネル24枚と合わせると
システム容量は50枚で12.5kW

【特許取得済み】

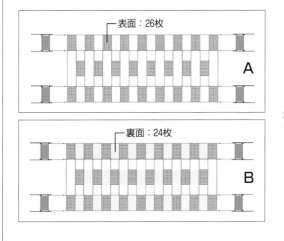

表面：26枚

A

裏面：24枚

B

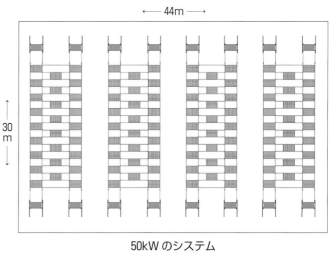

← 44m →

30m

50kWのシステム

第5回 「田んぼの発電所」の電気は蓄電して夜間に売電する

　電力系統においては、電気を「使う量」と「発電する量」（需要と供給）のバランスを保つことが重要です。そのため需要と供給の量が常にバランスするように調整することになりますが、発電量がエリアの需要量を上回る場合には、①火力発電の出力の抑制、②揚水発電のための水の汲み上げ運転による需要創出、③地域間連系線を活用した他エリアへの送電などの制御を行います。それでもなお発電量が需要量を上回る場合には、バイオマス発電の出力の制御の後に、太陽光発電、風力発電の出力制御を行います。これは「優先給電ルール」と呼ばれ、需給バランスを維持するための手順としてあらかじめ法令などで定められています。この制御の順番には各発電の発電コストや技術的特性が関係しています。水力・原子力・地熱は「長期固定電源」と呼ばれ、出力を短時間で小刻みに調整することが技術的に難しく、一度出力を低下させるとすぐに元に戻すことができないため、最後に抑制することとされています。

　このことから、太陽光発電は、日中に出力抑制を受けることがあるので、「田んぼの発電所」ではシステム容量と同等の蓄電池を設置して、①発電した電気を蓄電池に貯める、②蓄電池が満タンになった後は送電線に送る、③蓄電池に貯めた電気は夜間に送電線に送る仕組みとします。例えば、田んぼの発電所の基本システムは12.5kWなので、蓄電池も基本システムと同じ12.5kWの容量のものを設置します。この仕組みにすることで、昼間は出力抑制が発生しないようにでき、「太陽光発電は夜間に発電しない」などのデメリットを解消できるとともに、火力・水力・原子力など異なる発電システムが混在する中でも、太陽光発電設備を有効に利用することができます。

■蓄電の流れ

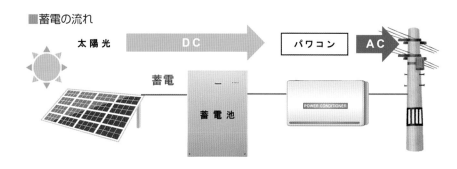

太陽光　　DC　　パワコン　　AC

蓄電

蓄電池　　POWER CONDITIONER

第 6 回

日本の総発電量の20％を賄う「田んぼの発電所」の規模

田んぼの発電所

耕作放棄地のイメージ

■田んぼの発電所の規模は、1農家250kW、7.5反で発電する

　農家への直接投資による「田んぼの発電所」で日本の年間発電量の20％を賄う場合、必要とする田んぼの広さは日本全体の22.5％になります。発電の必要数が360万ユニットで、1ユニット50kWシステムの広さを1.5反とし、1農家が250kWを7.5反で発電する場合、必要面積は540万反になります。日本の耕作田んぼ面積は約2,400万反（2020年）なので、22.5％に相当します。稲作農家数（2020年）は47万8,300戸なので、2割の農家の田んぼに直接投資で設置を進めします。22.5％は約11万戸に相当します。

■耕作放棄地での太陽光発電に企業1,000社が参入し、10％の電気をつくる

　耕作放棄地は427万反（2015年）で、日本全国の田んぼの17.8％に当たります。立地や周辺環境を考慮せず、数字の上だけで考えると、耕作放棄地を「田んぼの発電所」に使用すれば、50kWシステムを284万セット設置できることになり、年間発電量は1,420億kWhとなります。総発電量の15.8％です。日本の耕作放棄地を利用すると、15.8％の発電ができることになります。ここに1,000社の企業が参入すると、1社あたり2,840セットで4,260反（426町）の田んぼを使うことになります。この田んぼについて、お米をつくることを条件に、1,000社の企業が上空を使用します。このまま農家の数が減少して耕作放棄地が増えていくと、国が廃れていきます。全耕作放棄地427万反の70％を使い（427万反×70％＝300万反、30万町）、約11％の電気をつくります。

　現在、日本の総発電量の6％（540億kWh）を原子力発電でつくっています。したがって、耕作放棄地を「田んぼの発電所」として発電を行えば、原子力で発電している電気を賄うことが可能です。

田んぼの発電所で解決する日本の課題
── 驚きの提案金額

■90兆の赤字国債を解消し、25年かけた元本返済年3.6兆円を年金の安定財源にする

「田んぼの発電所」を運営している企業と農家は、毎年、発電設備を設置するために借りたお金を25年掛けて分割で返済します。10％の発電をする企業から投資額33.36兆円÷25年＝1.33兆円、20％の発電をする農家から投資額57.65兆円÷25年＝2.3兆円、合計30％の田んぼの発電所から、3.63兆円が毎年返済されます。この返済金が国民基礎年金の歳出額（3.5兆円）を上回る資金となります。この返済により、課題①の社会保障関係費の増加を抑えることができ、赤字国債のさらなる発行がなくなります。

■1,000社の民間企業による耕作放棄地での発電

日本の耕作放棄地は約427万反あります（2015年度）。日本の田んぼの面積（約2,400万反）の約18％に当たります。

この耕作放棄地で1,000社規模の民間の発電事業者が「田んぼの発電所」をつくり、発電するものとします。

民間の発電事業者が1,000社参入するとした場合、必要とする面積として、1社あたり4,260反（426町）の田んぼを新しくつくることになります。

284万ユニット÷1,000社＝1社あたり：2,840セット
2,840セット／1社×1.5反／ユニット＝4,260反（426町）

仮に耕作放棄地の70％で実現できた場合、1,000億kWhを発電します。

427万反×70％≒300万反
300万反÷1.5反／ユニット＝200万ユニット×5万kWh
＝1,000億kWh

これで日本の総発電量の約11％を賄うことができます。

耕作放棄地における「田んぼの発電所」の設置費用は、約32兆円になります。

50kWシステムを1,600万円として、上記の通り200万ユニットを整備する場合、

200万ユニット×1,600万円／ユニット＝32兆円

となります。

■耕作面積に対する土地使用の割合

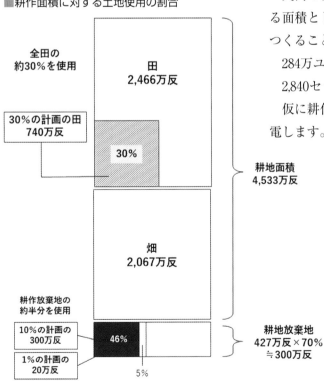

全田の約30％を使用
田 2,466万反
30％の計画の田 740万反
30％
耕地面積 4,533万反
畑 2,067万反
耕作放棄地の約半分を使用
10％の計画の300万反
46％
1％の計画の20万反
5％
耕地放棄地 427万反×70％≒300万反

資料：総務省統計局「日本の統計2015」
農林水産省「耕作放棄地の現状と課題」（2010年3月）

第 **8** 回 再生エネルギーを「積極的につくり優先的に使う」

■買取価格と売電価格の差額には化石燃料の購入費減少分を充てる

田んぼの発電所で発電した電気の買取価格32円/kWhと、国民に販売される電気代22円/kWhの差額10円/kWh×2,700億kWh＝2兆7,000万円は、代替する火力発電の燃料費と相殺します。購入している化石燃料費用は約17兆円、火力発電の電源構成比は約75％、石炭30％に相当する燃料費は約6.8兆円なので、10円の差額を埋めることができます。

■再生エネルギーを「積極的につくり優先的に使う」方針を決めて、仕組みを整備する

脱炭素を目指す国のエネルギー政策として、「再生可能エネルギーを積極的につくって、優先的に使う」という方針を決めることが重要です。そして再生可能エネルギーでつくった電気を、石炭など化石燃料を必要とする火力発電より優先して使用する仕組みをつくります。政府の骨太の方針にも、「再エネ最優先の原則」が加えられることになりました。

太陽光発電は天候に左右されるため、ヨーロッパと同様に、予備電源としてアイドリングから立ち上がるのが早い天然ガス（LNG）による火力発電を予備として準備しておく必要があります。その上で600万戸の集合住宅で各戸に12.5kWの蓄電池を設置します。昼間に蓄電した合計7,500万kWhの電気を夜に使います。戸建てでは電気自動車で蓄電を図ります。工場などの産業用には昼間に優先的に再エネで発電した電気を使う仕組み、また、大都市においては変電所と同じように「蓄電所」を整備するなど、優先的に再生エネルギーを使える仕組みをつくることが重要です。

第 9 回

買取価格は32円

■石炭火力の燃料代で、田んぼの発電所をつくる

田んぼの発電所の整備に必要な約90兆円は、年金機構が農家に資金を融資して、「田んぼの発電所」をつくり、つくった電気は再生エネルギー会社に「1 kWh あたり32円」で売電します。年金機構への返済金は、石炭火力の燃料代に相当するので、石炭の燃料代で田んぼの発電所を整備することができるということです。

■年金機構への毎年の返済金から10円、次に6円を上乗せる

現在の電気代は1 kWh あたり22.48円です。農家に発電設備を導入してもらうためには、農家が収入を得る仕組みが必要で、そのための資金を＋6円/kWh として上乗せします。したがって、22.48円＋6円＝28.48≒29円/kWh となります。年金機構への返済金のうち、はじめは10円、後に6円を上乗せして農家への資金として還元する仕組みなので、実質的に消費者の負担は増加しません。なお、年金資金には6.3円を繰り入れます。

返済金は、現在の石炭火力発電料の12.3円/kWh により、発電料の石炭負担分12円を充てます。この方式の手始めに、このうちの10円を上乗せすることにより、32円（22＋10）で始めます。

【田んぼの発電所の電気料金】

電気代　28.48 円/kWh → 買取　32 円/kWh

上乗せ費用　農家分　＋10 円/kWh　はじめは10円、次に6円

＋

営業費＋利潤　現在　22.48 円/kWh　現在は 12円＋10円＝22円

託送料　4 円/kWh　検討（10 円/kWh）

6 円/kWh

【現在の電気料金】
※九州電力の場合（再エネ賦課金を除く）

営業費＋利潤

託送料

そのまま

電気代
22.48
円/kWh

発電料
(石炭)

12.30 円/kWh

農家より

年金への
返済金
25年

毎年の
年金へ繰入

12 円/kWh
（石炭）

農家への直接投資

第**10**回

■農家が田んぼの上で発電する。資金はGPIF（年金積立金管理運用独立行政法人）が融資し、25年で返済する

■農家が行う発電の規模は20%目標

①日本の総発電量を9,000億kWhとして、日本の総発電量の20%の1,800億kWhを農家が田んぼの上空で発電することを目指します。

　　9,000億kWh×20%＝1,800億kWh

②「田んぼの発電所」の標準ユニット50kWシステムの年間発電量は5万kWhなので、日本の総発電量20%（1,800億kWh）に必要なユニット数は360万ユニットになります。

　　1,800億kWh÷ 5万kWh/ユニット＝360万ユニット

③50kWシステムで必要な田んぼの面積は1.5反なので、設置に必要な面積は540万反になります。

　　360万ユニット ×1.5反＝必要な田んぼの面積：540万反

④日本の耕作田んぼ面積は約2,400万反（2020年）なので、日本の田んぼの22.5%に相当します。

　　540万反 ÷2,400万反＝22.5%

⑤日本の総稲作農家は約47.8万戸なので、「田んぼの発電所」を行うために必要な農家数は約11万戸になります。

　　稲作農家数（2020年）47万8,300戸 ×22.5%
　　＝107,600戸＝約10.7万戸

■農家の「田んぼの発電所」を整備する費用は58兆円

　標準ユニットの年間発電量5万kWh、1ユニットの設置コストを2,000万円/ユニット（発電：1,600万円＋蓄電：400万円）とすると、360万ユニットを設置する費用は、72兆円です。

　＊50kWシステムでは、蓄電池は4個（12.5kW× 4個）になります。蓄電池1個100万円と仮定すると、標準50kWシステムにおける蓄電池は、100万円/個 × 4個＝400万円になります。

　　360万ユニット ×2,000万円/ユニット＝72兆円

田植え

田んぼの発電所での稲刈り。コンバインが自由に動く

第11回

田んぼの発電所の収支

■**田んぼの発電所の発電量は、日本の総発電量31%（＝20%＋11%）**

①農家が田んぼの上で発電する

　日本の総発電量の20％になる（1,800億 kWh）

②再エネ事業者が「耕作放棄地」を田んぼに戻して、

　上空で発電する

　日本の総発電量の11％になる（1,000億 kWh）

■**田んぼの発電所の整備費用は、89.6兆円**

①農家の田んぼ　　　57.6兆円

②企業の耕作放棄地　32.0兆円
　　　　　　　　　　　　　　
　　　計　　　　　　89.6兆円

■**農家の売電収入は年間800万円**

①資金は GPIF が農家に融資し、農家は25年で返済する

②農家の売電収入は年間800万円

　（＝32円/kWh×25万 kWh※）

　※50kW システム × 5セット

　　＝250kW× 年間発電量係数1,000＝25万 kWh/ 年

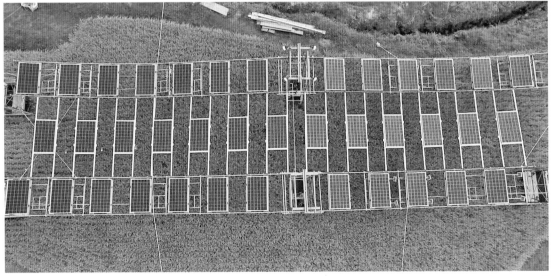

田んぼの発電所（上空より）　　　　　　　　　　　　　　　　　【特許取得済み】

第12回

発電した電気を100万戸のマンションで蓄電する

　田んぼの発電所で発電した電気は、自然エネルギーを取り扱う電力会社に売電します。その上で、都市部などのマンション100万戸に蓄電池を設置して、田んぼの発電所で発電した電力量と同等程度を蓄電できるようにします。蓄電池の設置費用は、補助金などで負担を軽減して、蓄電池の設置を促進させます。

　マンション100万戸に「蓄電する装置」を設置して、貯めた電気の代金は各住戸の利用者が負担します。

　蓄電池を整備することで、昼間と夜間の電気の平準化を図ります。

　太陽光発電設備の蓄電池は、一般家庭の電源から蓄電する際には整流器（AC/DC コンバーター）を使います。

　下の写真は、日本のメーカーの蓄電池のカタログです。蓄電容量は12kWh ですが、充放電能力は約半分の5.9kWh です。この蓄電池を２基つなぐことで約12kWh を確保できます。４人家族のマンションにおける１日の電気使用量は約10kWh（下表：316÷30＝10.2）なので、１日分の電気を蓄電できることになります。

　建物のエコ化が進むに従って、安定した数値になっていきます。100万戸の蓄電は大きな力を生みます。

蓄電池のカタログ
（ニチコン株式会社）

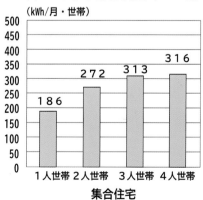

■1人あたり平均電気使用量（kWh/月）

資料：「平成26年度 東京都家庭のエネルギー消費
動向実態調査 報告書」（地域計画建築研究
所〔アルパック〕、2015年３月）より

第13回

田んぼの発電所のまとめ その1

■国民のために何が大事なのかという視点で変革をする

①国民にとって一番大事なことは「平和の維持」

　「エネルギーと食糧」を他国に左右されず、自国で自給できることが「平和」の基盤となります。今回、提案している「田んぼの発電所」は農業を守ると同時にエネルギーもつくることができます。この事業に民間企業の参入を促す政策を実施することで、短期間で必要な再生可能エネルギーを導入し、脱炭素を加速させることができます。

　導入のステップは、まず全国で5カ所の実験施設をつくり、民間企業で実施・改善します。

　並行して「国」は次の項目を協議して決めます。

　⑴「田んぼの発電所」を整備する資金の調達方法を決める。

　⑵再生可能エネルギーの買取価格（電気料金に＋10円/kWh）を法制化する。

　⑶お米をつくることを条件に、休耕田の上空を使った発電事業に企業が参入することで、目標の10%が進む。

②令和の農地改革で実行する

　歴史を振り返ると、明治の地租改正や昭和の農地改革で、税や農地に関して大きな変革が行われました。今回の「令和の農地改革」は、農業を続けられる環境をつくること、田んぼの上空を使ってエネルギーをつくることへの投資ができるようにする改革です。そのためには、大きく3つの改革目標を達成する必要があります。

　⑴資金の調達は、建設国債と赤字国債の交換で調達する。

　⑵再生可能エネルギーの対価は、化石燃料費の削減分を使って国が負担する。

　⑶上空で発電する「田んぼの発電所」を行う農家に対して資金を直接融資する。

　国家予算規模の投資となるため、国が明確に目的を定め、政策として立案・実施することが重要です。投資した資金（建設国債）は返済を義務とし、返済金は年金の財源として循環するため、年金を安定して維持できます。年金を守る、農家を守る、エネルギーを確保する、脱炭素社会を実現する、脱原発の力となる、これが「田んぼの発電所」の目的です。日本の田んぼにはその「力」があります。

田んぼの発電所

第14回 | 田んぼの発電所のまとめ その2

■石炭火力発電を田んぼの発電所が代替する

①石炭火力発電の発電割合：約30％を、田んぼの発電所：
31％が代替する。

②石炭燃料購入費：約6.8兆円を削減できる。

　化石燃料（石炭・天然ガス・石油）の輸入費は約17兆円。そ
のうち石炭分は、17兆円 ×（31.9％ ÷〔31.9％＋37.1％＋6.6％〕）
＝約6.8兆円。これが、田んぼの発電に替わる。

■日本の電源構成比（2019年）

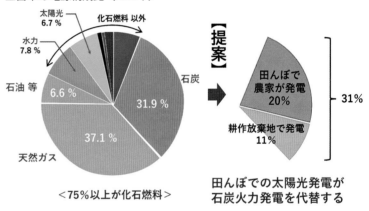

＜75％以上が化石燃料＞

**田んぼでの太陽光発電が
石炭火力発電を代替する**

**■赤字国債は建設国債との交換により、生きたお金に生まれ変
わる。**

① GPIF より投資された約100兆円は建設国債のため、25年で
年間約3.6兆円の返済が行われます。

②返済により投資した100兆円が戻ります。

③返済された約3.6兆円は、基礎年金（3.5兆円）に見合います。

④現在は、年金の収入不足分を赤字国債の発行によって補って
います。

⑤投資された100兆円は25年返済で消え、返済収入で計上され
た金額は赤字国債の発行を抑えます。

⑥日銀に集められた赤字国債は、建設国債との等価交換という
発明により、生きたお金に生まれ変わります。

NEDO レポート

田んぼの発電所

福永博建築研究所

何よりも、水田が
原発に代わる
エネルギーに
なることを
農業を営む人も、
そうでない人も、
お母さんも、
子供たちも、
おじいちゃん、
おばあちゃんも、
それぞれの立場で
理解して、
この国の世論を
つくっていって
ほしいんだ。

定価（本体1000円＋税）
海鳥社

エネルギー問題の「解決策」の実践報告です。
NEDO（国立研究開発法人新エネルギー・産業技術総合開発機構）の
実証事業として、2014年から 3 年間、「田んぼの発電所」を実施しました。
この節は、その際にレポートとして提出したものです。
NEDO の実証事業は 3 年間でしたが、
現在も田んぼにおける発電量や米の収量については、
継続して独自に調査を行っています。
また、田んぼの発電所をわかりやすく絵解き本にまとめていますので、
興味のある方は併せてご覧下さい。

平成26年度〜平成28年度成果報告書

太陽光発電多用途化実証プロジェクト
太陽光発電多用途化実証事業
米と発電の二毛作

平成29年2月

国立研究開発法人新エネルギー・産業技術総合開発機構
委託先　株式会社 福永博建築研究所

まえがき

　今回の実証事業は「太陽光発電多用途化実証プロジェクト」における農業分野に関するものです。田んぼは、全国に在り、平坦で日当たりが断然良く、広い面積を供給出来る、導入ポテンシャルが非常に高い地域です。中山間など条件が厳しい地域では、農閑期の半年間は何も作られていません。研究過程の試算では、農閑期に田んぼを活用すれば、東日本大震災以前の原発に匹敵する発電量を賄えます。昔から整備されている広い田んぼであれば短い時間で電気を創る用意が出来ます。

　「田んぼの発電所（米と発電の二毛作）」は、現在稲作を行っている水田の上空で電気を創って頂きます。作業と収穫の両面から、農業に支障を来さないように、その上空を資源として活用します。売電収入は農地の所有者に入ります。

　今日、日本の農業は従事者の高齢化が進み、平均年齢が66歳になっています。後継者の確保を難しくしている最大の理由は、収入の低さです。農家に生まれ、故郷の自然を愛し、親の仕事を継ぎたいという気持ちを持っていても、農業によって生活に十分な収入を得ることが出来なければ、他の仕事を選ぶしかありません。高収入を得られるという現実的な魅力が農業にあれば、後継者も農業を継ぐために故郷に戻ります。

　農地を活用して純国産の自然エネルギーを創出し、同時に、稲作農業を高収入の魅力ある職業にして新たに農業人口を増やします。自然エネルギーの創造と稲作農業を安定させることが研究の目的です。農家は昔から農作物を生産すると共に、竹炭などのエネルギーも生産してきました。これからは、太陽光という自然の恵みを使って電気エネルギーと農作物を生産する農家のあり方を示すことができます。

　日常的に自然と共に生活している農業者に、食糧と共に日本のエネルギーを担って頂くことが望ましいと思っています。

株式会社　福永博建築研究所

代 表 取 締 役　福 永　博

Ⅰ. 研究開発の成果と達成状況

〈和文要約〉

件名：平成26年度～平成28年度成果報告書「太陽光発電多用途化実証プロジェクト／
　　　太陽光発電多用途化実証事業／米と発電の二毛作」

1. 共同研究の目的と内容

　　本事業目的は、市場創出が見込まれる農業関連地帯における「米と発電の二毛作」方式による太陽光発電設備の開発である。農地であることから、作物を育てながら上空で発電することになる〈図1参照〉。そのため、モジュール下部で、農作業に支障がなく、作物にも影響が少ない方法を検証した。本事業における研究開発内容は、(1)20メートルスパンの空中ワイヤー式架台の開発、(2)信頼性・耐久性評価、(3)フィールド試験、(4)発電コストの検証、(5)普及活動である。尚、今回の作物は水稲とした。

2. ワイヤー式架台の開発及び改良

　　田んぼの上空3ｍで発電を行うワイヤー式太陽光発電設備である〈図2参照〉。相対する架台間に、ワイヤーをさや管内に通し渡し、ワイヤーに引張力を与え、架台の基礎部に工夫を施して、張力と荷重を支える仕組みである。台風等の強風にも耐えうるように計算し、第三者試験により風速34m、最大瞬間風速64mで問題がないことを確認した。試作は改良を重ねて3号機まで行った。又、農地における発電量を増加させる方法として、太陽電池の裏面に別の太陽電池を取り付けておき、農閑期に裏面の太陽電池を反転させて隙間を埋め、発電量を1.5倍に増加させる工夫を考案した。冬期に発電を増加させる「二毛作」である。

3. 農業への影響の考察

　　架台間17mスパンの間には柱がなく、発電設備下の空間は136平方メートルと広いため、農業機械も支障なく稼働でき、農作業に支障がないことを確認した。ワイヤー式の為、必要に応じて高さを可変できるので、強風やメンテナンス時には高さを下げることもできる。太陽電池の下部で稲作を行うため、収穫量に影響が出ないように太陽電池の影が3.5時間以下、稲への日照時間を8.5時間以上確保できるよう、太陽電池の設置間隔を計算・設定している。2年に亘り収量調査を行ったが、太陽電池や架台の影による米の収量への影響は少なく、収量は80～90%を確保している。

4. 農地の一時転用

　　現状の法制度では、農地の一時転用の許認可が高いハードルになっており、農地における太陽光発電を阻害している。農地における太陽光発電を促進し、売電による収入増加により、エネルギーの創造と農家・農業の継続を行うことが重要である。

5. 発電量

　　発電量は当初の計画値の110%程度を達成した。

6. 発電コストの検証

　　実証事業の発電容量14.45kW を低圧連系の最大規模50kW に換算して試算した。その結果、20年間の発電コストは20.96円/kWh となった。

7. 研究発表、講演、広報について

　　実質２年半の実証期間中に、多くの広報・啓蒙活動を行った。ロータリークラブや講演会などを通じて約1,000名以上に本事業の広報及び啓蒙活動を行った。新聞や雑誌でも記事として10回以上掲載されると共に、テレビや地域FMでも８回に亘って放映されるなど、メディアの関心は高かった。農業関連団体や海外の電気事業者も30組以上視察に訪れ、延べ人数は500名以上となった。又、電機メーカーや太陽光発電を主に取り扱うEPC事業者、農協などの農業関連者、農水省等にも直接訪問して説明を行い、周知を図っている。最終年度では、田んぼでの発電についてまとめた冊子が、福岡市立の小中高の参考図書として選定され、300校以上の図書館に配布された。

〈図１　実証事業の全景〉

〈図２　実証３号機〉

<本文>

A. 研究開発の成果

1. 共同研究の目的と内容

　本事業目的は、自然エネルギーである太陽光発電を設置できる最も広い場所として、又、市場創出が見込まれる農業地帯において、田んぼや畑の上空で発電を行う「米と発電の二毛作方式」（空中ワイヤー式）の太陽光発電設備の開発である。農地であることから、稲などの作物を育てながら上空で発電することになる。そのため、モジュール下部で、農作業に支障がなく、作物にも影響が少ない方法を検証した。実証プロジェクトにおける研究開発内容は次の通り。尚、今回の作物は水稲とする。

⒜空中ワイヤー式架台の開発

　　架台の設計・試作機の製作・工場試験及び第三者機関による耐力値等の測定を行った。

⒝信頼性、耐久性評価

　　風雨・紫外線等の気候や外力による架台や太陽電池モジュールの信頼性等を検証した。

⒞フィールド試験

　　稲の生育に影響を及ぼさないようにモジュールの前後左右の間隔を計算して設置し、稲への影響を検証した。

⒟発電コストの検証

　　開発したシステムの発電コストが27円/kWh 以下を達成するための道筋を確認した。

⒠普及活動

　　本事業の内容をロータリークラブや講演会等で紹介・広報を行った。

　　また、実証サイトの見学会、セミナー等を実施した。併せて、新聞・雑誌・テレビ等にアナウンスして、取材を受け、記事や放映がなされた。

　　また、田んぼの発電の実現性を高める目的から、研究者及び有識者やJA・政治家等への広報を行った。

【実証フィールドの概要】

〈図3　実証を行った棚田〉

　実証フィールドは佐賀県佐賀市三瀬地区の3つの棚田の内、2枚の田んぼ1及び2（1,385㎡）で行った。田んぼ3（666㎡）は同じ農家が同じ品種の米を作った場合の比較とした〈図3参照〉。

2. ワイヤー式架台の開発及び改良

(1)概要、基本設計

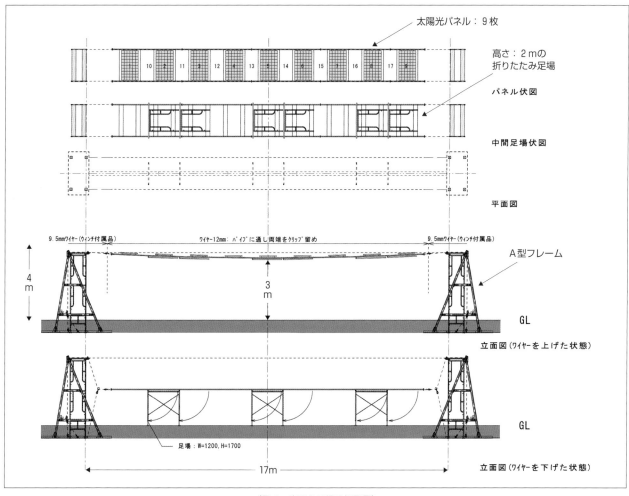

〈図4　実証3号機の概要図〉

　空中ワイヤー式架台の基本的な構造及び特長は次の通り〈図4参照〉。

①相対する2つの支柱間〈図5参照〉に、ワイヤーをさや管内に通し掛ける。

②2本の並行するさや管間に建設用仮設布足場板を渡し掛けて、布足場板に太陽電池を設置する。

③ワイヤーは支柱に取り付けられた滑車梁を介してA字型支柱〈図6参照〉の架台基礎部に接続され、太陽電池やその他部材の自重や引張力に対抗している。

④ワイヤーは滑車によって長さを調節でき、その結果、上空に設置した太陽電池の田んぼからの高さを上下に移動させることができる。基本的には高さ3mで固定する。

〈図5　架台〉

〈図6　A字型支柱〉

⑵試作と試験

①試作1号機

　コストを考え、なるべく既存流通部品を多用し、少ない部品点数で構成することを主眼にした〈図7参照〉。稼働実験を繰り返して行ったところ、門型架台のフレームに変形が生じたことから、再設計を行うこととした〈図8参照〉。

〈図7　既存流通部品を活用した試作前の検証〉　　　　　　　　　　〈図8　試作1号機〉

②試作2号機

　1号機の変形位置等のデータを基に荷重のかかり方を考慮し、新たに部材設計を行った。スパン20mを維持する対策を検討し、補強フレームの構造をA字型に変更した2号機を作成した〈図9参照〉。同時に、両端の架台の浮き上がりを防止する基礎や地中梁についても、荷重によって変化する度合いを確認して再検討を行い〈図10参照〉、新しく設計を行った。併せて、操作性の改善も考慮した。

 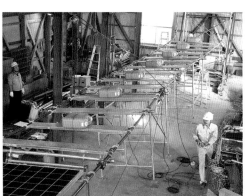 

〈図9　A字型〉　　　　　　　　　　　〈図10　試作2号機による試験及び検討〉

⑶第三者機関による試験

これらの新たな設計により負荷の掛かり具合を考慮したことから、稼働実験を繰り返し行っても変形が生じなかった。その為、2号機を使って、第三者機関である（一財）建材試験センターに物性試験を依頼・実施した〈図14参照〉。その結果、基準風速34m（最大瞬間風速64m）クラスの荷重負荷が掛かったとしても架台等に破損等の問題が生じないことが確認できた。同時に、上下に可動させる作業性の確認と、組立・設置工事における流れを確認することができた。又、主要部材に掛かる荷重を計測・確認することができた〈図11、12、13参照〉。

〈図11　斜めワイヤーの測定点：L1、L2〉

〈図12　ロードセル：L3〉

〈図13　台風を想定した引張試験〉

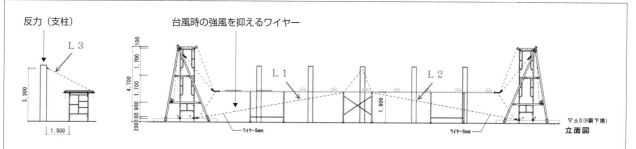

①上下鉛直方向に動かし、主ワイヤーに掛かる荷重を計測した。
②台風時の強風を想定し、水平方向の試験を行った。
　風速34m、最大瞬間風速65mを想定。その時の荷重を2.0kNとし、5.5kNまで荷重をかけた。
③最大3kNの荷重は、ロードセルにより確認した。
④2点（L1、L2）共に、2.8kNまでは変形せず、5.5kN時点で約8cm程度浮き上がった。

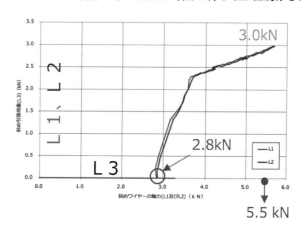

〈図14　第三者試験における測定点と測定結果〉

⑷フィールド検証機（３号機）及び設置工事

　２号機で物理的な耐力及び力の流れを確認できたため、２号機をベースに、ワイヤー等の取り回しなど、取り扱い面に工夫・改良を加えた設計を行い、試作３号機を製作して実証フィールドに設置した。実証フィールドでは、２枚の田んぼに、スパン17m〈図15参照〉と33m〈図16参照〉の架台を設置した。

〈図15　スパン17m〉

〈図16　スパン33m〉

【設置工事】〈図17参照〉

　設置する土地が水田という特殊な地盤・地質であることから、当初は、水田特有の課題に直面した。水田の土は⑴稲を育てる粘土質の層と⑵下部の地層とに分かれている。

　地面を75cm掘削して、基礎プレートや地中梁を設置する設計としたが、実証地が中山間地帯のため下部の地層にある岩の破砕等で手間を取ることがあった。また、二つの異なる地層の土が混じらないように配慮した。

　現在設置している架台は掘った土の重量や反力を利用しているが、改良点は浅めに掘って、コンクリートの二次製品等をカウンターウエイトとして利用し設置作業を簡略化すると共に、部品の簡略化などコストを削減する検討を進めている。

〈地盤75cm掘削〉

〈架台基礎と地中梁〉

〈A字フレームの架構〉

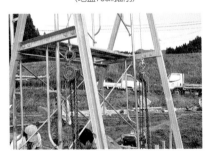

〈チェーンブロック〉

〈雪のフィールド〉

〈ワイヤー架構〉

　建設用仮設足場を用いて、人力でA字型フレームを構築し、チェーンブロックを設置し、ワイヤーを繋ぎ、ワイヤーはさや管に通して２つの相対する架台間に渡し掛ける。太陽電池を取り付ける布足場板に太陽電池を取り付け、折りたたみの脚はさや管に取り付けている。

〈図17　設置工事の流れ〉

⑤発電量を増量させる為の考案〈図18参照〉

　上空で発電しながら、下部の田んぼで稲作を行うため、稲の成長を阻害しないように、太陽電池の設置間隔を開けている。間隔は前後１m、左右４mとすることで、日影は3.5時間以内、日照時間は8.5時間以上を確保している。尚、稲作の期間は５〜10月であり、中山間地域の棚田などは気候の関係から二毛作を行えない。そこで、既存の太陽電池の隙間に、新たに太陽電池を配置することで、農閑期に発電量を増加させることを考案した。稲作期間は増設する太陽電池を既存の太陽電池の裏面に取り付けて、田んぼからの反射光で発電している。裏面での発電効率は、表面の太陽電池と比べ、概ね11％程度となっている。その結果、１年間を通して約1.5倍まで発電量を増加させることができる。

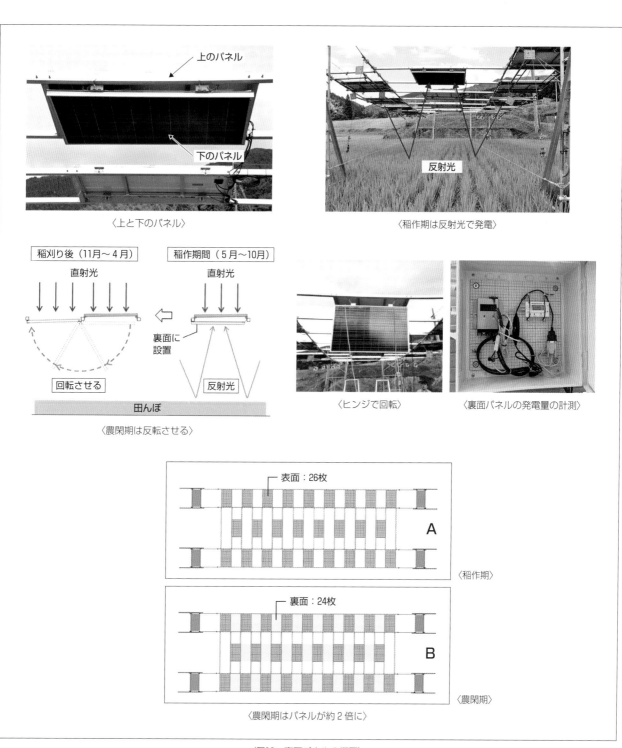

〈図18　裏面パネルの概要〉

⑹追加試験、フィールドでの観察

〈工場内追加試験〉

　下記の架台に関して改良等に伴う追加の試験を行った〈図19参照〉。

　①農閑期に裏面パネルを追加することによる荷重増加に伴う載荷試験

　②前項に伴う基礎部分の挙動の確認と改良点の検討

　③架構した太陽電池のバタツキを抑えるために取り付けるハンドウインチの効果と操作性

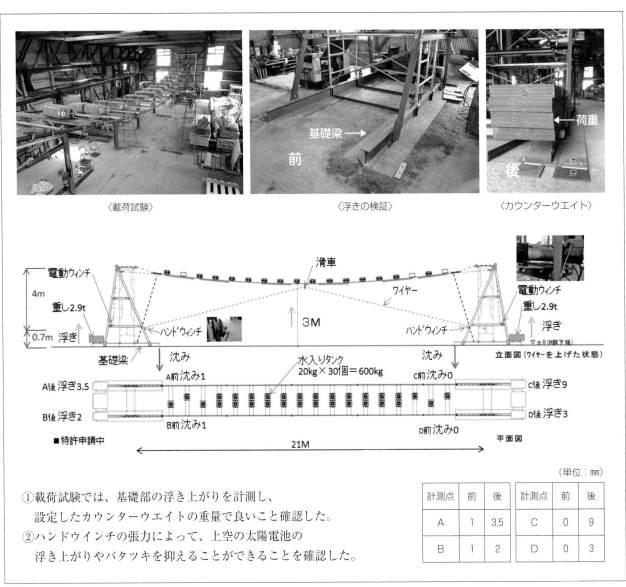

〈載荷試験〉　　　　　　　　　　〈浮きの検証〉　　　　　　　　〈カウンターウエイト〉

①載荷試験では、基礎部の浮き上がりを計測し、
　設定したカウンターウエイトの重量で良いこと確認した。

②ハンドウインチの張力によって、上空の太陽電池の
　浮き上がりやバタツキを抑えることができることを確認した。

（単位：mm）

計測点	前	後	計測点	前	後
A	1	3.5	C	0	9
B	1	2	D	0	3

〈図19　追加試験の概要〉

〈フィールド観察〉

①並行してフィールドでは、架台の傾きやパネルの状態について、毎週観察した。稲刈り後に田んぼに入り機
　器を使って精査したところ、天候等によるパネルの異常や架台の傾きはなかった。

②実証期間中に台風が複数回通過したが、現地に設置した風速計では最大風速17mだった。

③パネルの上下稼働において、バランス調整等の必要性が判明したが、今後の配置計画等によって補正できる
　内容だった。

④積雪加重を30cm見込んでいたが、実証期間中の積雪15cmまで確認できた。

⑤太陽電池の表面の汚れは、現在の角度でも降水によって自然に流下している。

3. 農業への影響の検証

(1)農作業への影響の検証

　2期目（フィールド1年目）では、農作業時は高さ3m、稲作平常時は高さ2mで固定した。

　3期目（フィールド2年目）は、年間を通して高さ3mで固定した。

　田んぼにおいて耕運機やコンバインなどの農業機械が入るタイミングは、①荒がき、②代がき、③田植え、④稲刈りの4回程度である。いずれもパネルの高さ3mであれば、問題なく農業機械を使うことができた〈図20参照〉。但し、架台廻りについては、安全のため手作業で田植えや稲刈りを行った。

〈荒がき〉　　　　　　　　　　　　　〈代がき〉

〈田植え〉　　　　　　　　　　　　　〈稲刈り〉

〈図20　農作業への影響観察〉

(2)稲の生育及び収穫量に関する影響の検証

①稲の生育を考えたパネルの間隔の検討

　稲の生育では、出穂（8月頃）以降の日照が重要になる。その為、基本設計では日影が3.5時間以内、日照時間が8.5時間以上になるよう計算を行い、特に夏至は日照時間が12時間以上になるよう、設置するパネル間隔を求めた。パネル間隔は前後1m、左右4mとなっている〈図21参照〉。

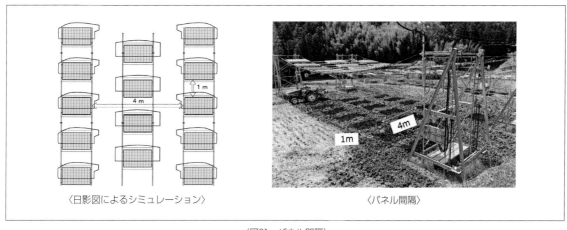

〈日影図によるシミュレーション〉　　　　　　〈パネル間隔〉

〈図21　パネル間隔〉

〈図22　稲の成長〉

30日目　14：00　20cm

50日目　15：40　45cm

80日目　12：50　80cm

100日目　12：35　85cm

②米の収量調査

　実証地で育てる品種は「さとじまん」で、倒伏に強い品種である。2年間に亘って、稲の生育状況を調査した。調査は、1区画2㎡のサンプルを複数箇所採取して、収量や稲の状態を比較する「坪刈り」という方法で行った。1年目は太陽光発電設備を設置していないため、実証地の田んぼにおける稲の生育を観察し〈図22参照〉、坪刈りは2年目と3年目に実施した〈図23参照〉。

　収量は、太陽電池パネルの影の影響があるところと、比較的影響が少ないところを比較した。

　その結果、影の影響のあるところでも平均で80～90%の収量を確保しており、現在のパネルの配置における影の影響は少ないものと考えられる。尚、稲作時のパネルの高さは、2年目は2m、3年目は3mと、高さを変えて検証した。

　影の影響があるエリアでは、葉が長くなる傾向があり、穂数が少なくなる傾向があった。これを改善するためには、田植えの時期を早めて「分けつ」するための日数を増やすことで対応できると考えられる。

〈上：坪刈りの様子〉
〈左：標本サンプル〉

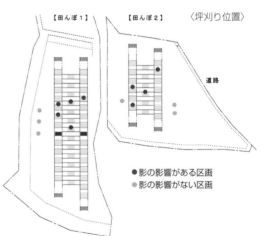

〈坪刈り位置〉

【田んぼ1】　【田んぼ2】

道路

●影の影響がある区画
●影の影響がない区画

年度	場所	影の影響がない区（A）	影の影響がある区（B）	収量比（A÷B）
平成27年	田んぼ1	23.60g/株	22.87g/株	97%
	田んぼ2	26.43g/株	21.86g/株	83%
平成28年	田んぼ1	25.50g/株	20.90g/株	82%
	田んぼ2	※1		

※1　標本採集区の地力が異なるため対象外とする

〈図23　坪刈りによる収量調査〉

③照度計、日射計、天気観測機器の設置

　水田内に日射計と照度計を設置した。5箇所に設置し、パネルの日影の推移や日射量、照度と稲作への関連性を検証するためのデータ収集を行った〈図24参照〉。

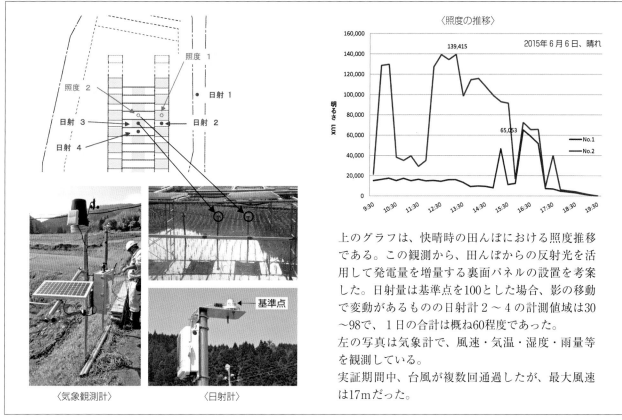

〈図24　気象及び日照・日射量の調査〉

上のグラフは、快晴時の田んぼにおける照度推移である。この観測から、田んぼからの反射光を活用して発電量を増量する裏面パネルの設置を考案した。日射量は基準点を100とした場合、影の移動で変動があるものの日射計2〜4の計測値域は30〜98で、1日の合計は概ね60程度であった。
左の写真は気象計で、風速・気温・湿度・雨量等を観測している。
実証期間中、台風が複数回通過したが、最大風速は17mだった。

4. 農地の一時転用

　実証を行うフィールドは、農地の中でも生産性の高い「農用地区内農地」であり、農地以外の利用は原則不許可となっている。しかしながら、関係諸機関と協議を行い、営農型発電設備を設置できる一時転用許可を取得することができた〈図25参照〉。九州では初めての試みであり、農業委員会は元より佐賀県農業会議の委員による視察など、注目を集めている。

　尚、一時転用した面積は支柱及び一時設置用の仮設足場の脚部のみであり、農地に占める割合は1％程度となっている〈図26参照〉。

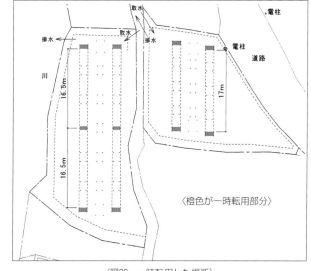

〈図25　農地転用許可書〉　〈図26　一時転用した場所〉

5. 発電量の推移

フィールド実証機の発電容量は14.45kWhで、下表は実証期間中の売電実績である〈表1参照〉。

〈表1　発電量の推移〉

検針表記		期　　間			売電量	1日平均 発電量	1年間
2015	9月	7月31日	9月13日	44日	2,068kWh	47.00kW/日	363日
	10月	9月14日	10月13日	30日	1,400kWh	46.67kW/日	
	11月	10月14日	11月13日	31日	1,204kWh	38.84kW/日	41.80kW/日
	12月	11月14日	12月13日	30日	519kWh	17.30kW/日	
2016	1月	12月14日	1月14日	32日	644kWh	20.13kW/日	
	2月	1月15日	2月14日	31日	630kWh	20.32kW/日	
	3月	2月15日	3月13日	28日	868kWh	31.00kW/日	
	4月	3月14日	4月12日	30日	1,559kWh	51.97kW/日	
	5月	4月13日	5月16日	34日	1,868kWh	54.94kW/日	
	6月	5月17日	6月14日	29日	1,865kWh	64.31kW/日	
	7月	6月15日	7月13日	28日	1,091kWh	38.96kW/日	
	8月	7月14日	8月16日	33日	2,180kWh	66.06kW/日	
	9月	8月17日	9月13日	27日	1,345kWh	49.81kW/日	
	10月	9月14日	10月13日	29日	1,068kWh	36.83kW/日	
	11月	10月14日	11月13日	30日	934kWh	31.13kW/日	
	12月	11月14日	12月12日	28日	672kWh	24.00kW/日	
2017	1月	12月13日	1月16日	34日	700kWh	20.59kW/日	
	2月	1月17日	2月13日	27日	540kWh	20.00kW/日	
	3月	2月14日	3月13日	27日	1,166kWh	43.19kW/日	
	4月	3月14日	4月12日	29日	1,314kWh	45.31kW/日	
合　計				611日	23,635kWh	38.68kW/日	
年間の発電量　（1日平均発電量×365日）						15,256.60kW/年	

※2015年10月～2016年9月の1年間を算定基礎とした

上表より、1日平均41.80kWh発電している計算となり、1年間に換算すると、概算で15,256kWh発電していることになる。

※期間が363日になるため、1日平均×365日で年間の発電量を求めた。

6. 発電コストの検証　※裏面パネル無し、50kWシステムに換算

工事費は設置込みで2,000万円、電気関係の点検のみ業者に委託することとした。

〈表2　発電コストの計算表〉

①建築工事費（材工共）　50kWシステム	2,000	万円
②運転費用（メンテナンス等）	6	万円/年
	120	万円/20年
③パワコン等、機械部品交換費	100	万円/20年
(1)20年間の総コスト（①＋②＋③）	2,220	万円/20年
④システム容量	50	kW
(2)1kWあたりの工事単価（①÷④）	40	万円/kW
⑤年間発電量（三瀬ベース）	52,960	kWh/年
⑥期間	20	年
(3)20年間の発電量（⑤×⑥）	1,059,200	kWh/20年
(4)発電コスト　※除去費は含まない　(1)÷(3)	20.96	円/kWh

この結果、20年間の発電コストの試算は20.96円/kWhとなった〈表2参照〉。

B. 目的に照らした達成状況

1. 実証事業における知見（成功、失敗の要因分析）

【仕組み】

⑴さや管（ワイヤー）上に設置した太陽電池は、工場内の反復稼働試験及び実証フィールドでの上下動試験でもひずみや割れなどの損傷は1枚もなかった。ワイヤーは大きな円弧の曲線を描くが太陽電池パネルは直線であるため、ワイヤーに設置した後のズレ等を心配したが、そのようなことも無かった。また、太陽電池も設置場所からの当初懸念していた支柱の傾斜、浮き、ズレ等も発生していない。又、台風などの強風でも問題は生じていない。

考察としては、

①太陽電池はさや管（ワイヤー）に直接取り付けられているのではなく、面剛性の強い建設用の「布足場板」に取り付けられていること

②「布足場板」とさや管の接合部も強固に緊結しているのではなく、ジョイントに遊びがあるため、力が一点に集中しない仕組みになっていること

③太陽電池と布足場との接合部には緩衝材が取り付けられていること

④さや管のパイプは柔軟性・可とう性があり、加わった力は緩やかに拡散して突発的な衝撃とはならないこと

⑤さや管のジョイント部もネジで緊結するのではなく、竹の節のようになっているフランジでルーズに結合している

などが要因と考えられる。

⑵試作1号機ではフレームを門型にしていたが、実験により負荷による変形が生じたため、支柱頂点への力の流れ方を確認して、門型からA字型にフレームを改良した。

⑶基本システムの3列の内、中1列は支柱を設けず、左右のさや管にアルミフレームを渡し掛けて太陽電池を設置している〈図27参照〉。実証期間においても問題がなく、コスト削減に効果があった。

中列はアルミフレーム

中 支柱

〈図27　3号機を上から見た写真〉

⑷33mスパンの架台に於いては、中央部にも支柱を配置しており〈図27〉、中央支柱を挟んで両側のパネル等の荷重が中央支柱に加わる。1点に力が集中することがないよう荷重配分を分配させて、中央支柱への力の加わり方を改善した。

⑸工場では電動ウインチを用いており、上下動に要する時間は15～30秒だった。しかし、フィールドに於いては、①頻繁に上下動させることがないこと、②電動ウインチの電源を別途用意する必要があること、等の理由で、フィールド実証機ではチェーンブロックを用いて手動で上げ下ろしを行った。実証の結果、上空3mでの固定に問題がなかったため、基本的に3m固定とする場合、チェーンブロックなしで固定して、メンテナンス等で必要になった時のみ、チェーンブロックを取り付ける方法を採用していく。

【設置工事】
⑹田んぼの特徴で、上部50cmは稲作のための腐葉土であり、その下は地盤となっている。支柱を設置する際75cm程度掘削するため、腐葉土と地盤の土を峻別する必要があることが判った。

⑺田んぼの特質として、稲作時には水が貯められ、土は泥水になり、田んぼの土を基礎の荷重として考えることが難しいことが判った。尚、実証試験では、1/3ほど予備荷重としてコンクリート製のPC板を設置しており、傾き等の問題は生じていない。

【配置】
⑻実証フィールドの田んぼの地形は、整った形ではなく変形している。変形した形を最大限使うようにして設置したため、支柱が並行位置になっていない。その為、並列するワイヤーとさや管の曲線が微妙に異なり、パネルを上下動させるときのバランスが難しくなった。今後は、支柱の配置は平行になるようにするほうが良いことが分かった。

【その他】
⑼ワイヤー式の特徴として太陽電池の取り付け勾配が緩やかになっているが、年間の発電実績は、当初の想定値の約110%程度となっている。当面の発電については問題がないが、今後は最適な角度の検討を行えば、更なる発電量の増加が見込める。

⑽フィールド設置1年目は稲作時にパネルの高さを2mとしていたが、2年目は年間を通して高さ3mで固定した。高さ3mでも耐候性・耐風性に支障がないことが確認でき、農業機械を使った作業の度にパネルを上下動させる必要がないため、作業効率への影響は少ないものとなった。また、パネルのバタツキを抑えるロープを設置していたが、最終年度に補助ワイヤーとハンドウインチの組み合わせに改良することで、農作業や強風時の対応についても1人で行うことが可能となり、取り扱いに要する労力も軽減された。

　総合的に、田んぼで稲作しながら上空で発電する、空中ワイヤー式架台の積載荷重や積雪荷重、耐風耐候性等について問題はなく、改良により作業性が向上し、性能面でも強化され、有効に機能することが確認された〈図28参照〉。

〈図28　実証地の秋の風景〉

2. 農業分野への波及効果

今回の研究開発は、衰退する農業を保全しながら、自然エネルギーを増大させることにある。

農業をしながら、上空で発電することで、農家は売電収入を得て、農業を継続することができる。農業以外の収入が定期的に見込めると、後継者の離農を防ぐことができる。

最初は基本ユニット（1セット）から始める。

基本ユニットは、8 m×20m の広さで、システム容量は12.5kW である〈図29参照〉。

目標は、1農家あたり4ユニット、12.5kW×4＝50kW のシステムとする〈図30参照〉。

50kW システムの必要な面積は1農家で約1.5反、年間発電量は約50,000kWh となる。

仮に固定価格買取制度の単価（2017年）の 1 kWh あたり24円で買い取りすると、年間の売電収入は24円/kWh×50,000kWh ＝120万円/年となる。

試算では、国内の水稲農家の30％が本事業に参画すれば、日本の総発電量の5％をまかなうことができる有力な代替エネルギーとなる。

田んぼや畑などの農地との共有は、日本において太陽電池を設置できる最後の広大なフロンティアである。

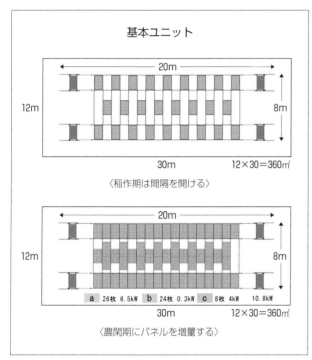

〈図29　基本セット〉

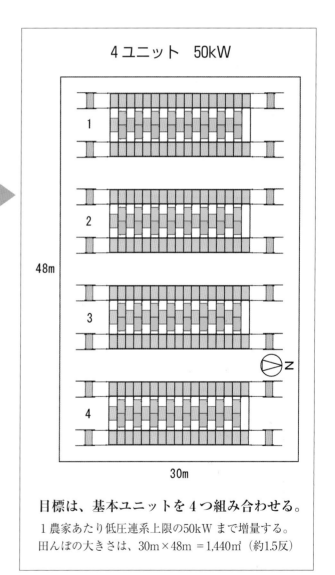

目標は、基本ユニットを4つ組み合わせる。

1農家あたり低圧連系上限の50kW まで増量する。
田んぼの大きさは、30m×48m ＝1,440㎡（約1.5反）

〈図30　1農家4セットが目標〉

■三瀬発電所における発電量の推移　　＊ NEDO との共同実証終了（2017 年 3 月）後も、独自に実証を継続しています。

実証フィールドのシステム容量	14.45 kw

× 1,000倍 ＝ 　年間発電量（推定値）　14,453 kw

検針表記		期間			売電量	売電額	1日平均発電量	1年間	年間売電金額	年間発電量(kWh)	1kWの年間の発電量(kWh)
2015	9月	7月31日	9月13日	45 日	2,068 kWh	26,801 円	45.96 kWh/日	366 日	67,274 円		
	10月	9月14日	10月13日	30 日	1,400 kWh	18,144 円	46.67 kWh/日				
	11月	10月14日	11月13日	31 日	1,204 kWh	15,603 円	38.84 kWh/日				
	12月	11月14日	12月13日	30 日	519 kWh	6,726 円	17.30 kWh/日				
2016	1月	12月14日	1月14日	32 日	644 kWh	8,346 円	20.13 kWh/日	40.34 kWh/日	190,817 円	14,724 kWh	1,019 kWh
	2月	1月15日	2月14日	31 日	630 kWh	8,164 円	20.32 kWh/日				
	3月	2月15日	3月13日	28 日	868 kWh	11,249 円	31.00 kWh/日				
	4月	3月14日	4月12日	30 日	1,559 kWh	20,204 円	51.97 kWh/日				
	5月	4月13日	5月16日	34 日	1,868 kWh	24,209 円	54.94 kWh/日				
	6月	5月17日	6月14日	29 日	1,865 kWh	24,170 円	64.31 kWh/日				
	7月	6月15日	7月13日	29 日	1,091 kWh	14,139 円	37.62 kWh/日				
	8月	7月14日	8月16日	34 日	2,180 kWh	28,252 円	64.12 kWh/日				
	9月	8月17日	9月13日	28 日	1,345 kWh	17,431 円	48.04 kWh/日				
	10月	9月14日	10月13日	30 日	1,068 kWh	13,841 円	35.60 kWh/日				
	11月	10月14日	11月13日	31 日	934 kWh	12,104 円	30.13 kWh/日				
	12月	11月14日	12月12日	29 日	672 kWh	8,709 円	23.17 kWh/日				
2017	1月	12月13日	1月16日	35 日	700 kWh	9,072 円	20.00 kWh/日	41.66 kWh/日	197,585 円	15,204 kWh	1,052 kWh
	2月	1月17日	2月13日	28 日	540 kWh	6,998 円	19.29 kWh/日				
	3月	2月14日	3月13日	28 日	1,166 kWh	15,111 円	41.64 kWh/日				
	4月	3月14日	4月12日	30 日	1,314 kWh	17,029 円	43.80 kWh/日				
	5月	4月13日	5月15日	33 日	2,125 kWh	27,540 円	64.39 kWh/日				
	6月	5月16日	6月14日	30 日	2,067 kWh	26,788 円	68.90 kWh/日				
	7月	6月15日	7月13日	29 日	1,434 kWh	18,585 円	49.45 kWh/日				
	8月	7月14日	8月16日	34 日	1,829 kWh	23,704 円	53.79 kWh/日				
	9月	8月17日	9月13日	28 日	1,462 kWh	18,947 円	52.21 kWh/日				
	10月	9月14日	10月15日	32 日	1,103 kWh	14,294 円	34.47 kWh/日				
	11月	10月16日	11月13日	29 日	908 kWh	11,767 円	31.31 kWh/日				
	12月	11月14日	12月13日	30 日	598 kWh	7,750 円	19.93 kWh/日				
2018	1月	12月14日	1月15日	33 日	598 kWh	7,750 円	18.12 kWh/日	42.89 kWh/日	202,337 円	15,656 kWh	1,083 kWh
	2月	1月16日	2月13日	29 日	407 kWh	5,274 円	14.03 kWh/日				
	3月	2月14日	3月12日	27 日	1,031 kWh	13,361 円	38.19 kWh/日				
	4月	3月13日	4月11日	30 日	1,560 kWh	20,217 円	52.00 kWh/日				
	5月	4月12日	5月14日	33 日	2,042 kWh	26,464 円	61.88 kWh/日				
	6月	5月15日	6月13日	30 日	1,814 kWh	23,509 円	60.47 kWh/日				
	7月	6月14日	7月12日	29 日	1,381 kWh	17,897 円	47.62 kWh/日				
	8月	7月13日	8月15日	34 日	2,381 kWh	30,857 円	70.03 kWh/日				
	9月	8月16日	9月12日	28 日	1,431 kWh	18,545 円	51.11 kWh/日				
	10月	9月13日	10月14日	32 日	1,165 kWh	15,098 円	36.41 kWh/日				
	11月	10月15日	11月13日	30 日	1,151 kWh	14,916 円	38.37 kWh/日				
	12月	11月14日	12月12日	29 日	652 kWh	8,449 円	22.48 kWh/日				
2019	1月	12月13日	1月16日	35 日	710 kWh	9,201 円	20.29 kWh/日	42.11 kWh/日	199,202 円	15,371 kWh	1,064 kWh
	2月	1月17日	2月13日	28 日	805 kWh	10,432 円	28.75 kWh/日				
	3月	2月14日	3月12日	27 日	891 kWh	11,547 円	33.00 kWh/日				
	4月	3月13日	4月11日	30 日	1,756 kWh	22,757 円	58.53 kWh/日				
	5月	4月12日	5月16日	35 日	2,114 kWh	27,397 円	60.40 kWh/日				
	6月	5月17日	6月13日	28 日	1,740 kWh	22,550 円	62.14 kWh/日				
	7月	6月14日	7月15日	32 日	1,603 kWh	20,774 円	50.09 kWh/日				
	8月	7月16日	8月15日	31 日	1,584 kWh	20,528 円	51.10 kWh/日				
	9月	8月16日	9月12日	28 日	1,071 kWh	13,880 円	38.25 kWh/日				
	10月	9月13日	10月14日	32 日	1,309 kWh	16,964 円	40.91 kWh/日				
	11月	10月14日	11月13日	30 日	1,069 kWh	13,854 円	35.63 kWh/日				
	12月	11月14日	12月12日	29 日	719 kWh	9,318 円	24.79 kWh/日				

年	月			日数	発電量	売電額	1日平均				
2020	1月	12月13日	1月16日	35 日	735 kWh	9,702 円	21.00 kWh/日	42.57 kWh/日	206,207 円	15,537 kWh	1,075 kWh
	2月	1月17日	2月13日	28 日	698 kWh	9,213 円	24.93 kWh/日				
	3月	2月14日	3月12日	28 日	941 kWh	12,421 円	33.61 kWh/日				
	4月	3月13日	4月13日	32 日	1,722 kWh	22,730 円	53.81 kWh/日				
	5月	4月14日	5月14日	31 日	2,168 kWh	28,617 円	69.94 kWh/日				
	6月	5月15日	6月14日	31 日	1,711 kWh	22,585 円	55.19 kWh/日				
	7月	6月15日	7月13日	29 日	1,265 kWh	16,698 円	43.62 kWh/日				
	8月	7月14日	8月16日	34 日	1,556 kWh	20,539 円	45.76 kWh/日				
	9月	8月17日	9月13日	28 日	1,435 kWh	18,942 円	51.25 kWh/日				
	10月	9月14日	10月13日	30 日	1,384 kWh	18,268 円	46.13 kWh/日				
	11月	10月14日	11月12日	30 日	1,222 kWh	16,130 円	40.73 kWh/日				
	12月	11月13日	12月13日	31 日	785 kWh	10,362 円	25.32 kWh/日				
2021	1月	12月14日	1月14日	32 日	405 kWh	5,346 円	12.66 kWh/日	42.13 kWh/日	202,420 円	15,377 kWh	1,064 kWh
	2月	1月15日	2月11日	28 日	857 kWh	11,312 円	30.61 kWh/日				
	3月	2月12日	3月11日	28 日	1,070 kWh	14,124 円	38.21 kWh/日				
	4月	3月12日	4月13日	33 日	1,768 kWh	23,337 円	53.58 kWh/日				
	5月	4月14日	5月16日	33 日	1,875 kWh	24,750 円	56.82 kWh/日				
	6月	5月17日	6月14日	29 日	1,590 kWh	20,988 円	54.83 kWh/日				
	7月	6月15日	7月13日	29 日	1,497 kWh	19,760 円	51.62 kWh/日				
	8月	7月14日	8月15日	33 日	1,787 kWh	23,588 円	54.15 kWh/日				
	9月	8月16日	9月13日	29 日	1,150 kWh	15,180 円	39.66 kWh/日				
	10月	9月14日	10月13日	30 日	1,456 kWh	19,219 円	48.53 kWh/日				
	11月	10月14日	11月11日	29 日	1,055 kWh	13,926 円	36.38 kWh/日				
	12月	11月12日	12月12日	31 日	825 kWh	10,890 円	26.61 kWh/日				
2022	1月	12月13日	1月16日	35 日	764 kWh	10,084 円	21.83 kWh/日	44.83 kWh/日	216,001 円	16,364 kWh	1,132 kWh
	2月	1月17日	2月13日	28 日	855 kWh	11,286 円	30.54 kWh/日				
	3月	2月14日	3月13日	28 日	1,325 kWh	17,490 円	47.32 kWh/日				
	4月	3月14日	4月12日	30 日	1,676 kWh	22,123 円	55.87 kWh/日				
	5月	4月13日	5月16日	34 日	1,980 kWh	26,136 円	58.24 kWh/日				
	6月	5月17日	6月13日	28 日	1,824 kWh	24,076 円	65.14 kWh/日				
	7月	6月14日	7月12日	29 日	1,464 kWh	19,324 円	50.48 kWh/日				
	8月	7月13日	8月15日	34 日	1,806 kWh	23,839 円	53.12 kWh/日				
	9月	8月16日	9月12日	28 日	1,349 kWh	17,806 円	48.18 kWh/日				
	10月	9月13日	10月13日	31 日	1,321 kWh	17,437 円	42.61 kWh/日				
	11月	10月14日	11月13日	31 日	1,275 kWh	16,830 円	41.13 kWh/日				
	12月	11月14日	12月12日	29 日	725 kWh	9,570 円	25.00 kWh/日				
2023	1月	12月13日	1月16日	35 日	638 kWh	8,421 円	18.23 kWh/日	41.41 kWh/日	100,027 円	15,115 kWh	1,046 kWh
	2月	1月17日	2月13日	28 日	614 kWh	8,104 円	21.93 kWh/日				
	3月	2月14日	3月13日	28 日	1,261 kWh	16,645 円	45.04 kWh/日				
	4月	3月14日	4月13日	31 日	1,612 kWh	21,278 円	52.00 kWh/日				
	5月	4月14日	5月15日	32 日	1,873 kWh	24,723 円	58.53 kWh/日				
	6月	5月16日	6月13日	29 日	1,580 kWh	20,856 円	54.48 kWh/日				
合計				2,875 日	121,044 kWh	1,581,870 円	42.10 kWh/日	42.36 kWh	202,081 kWh	15,462 kWh	1,070 kWh

平均

売電単価: 約 13 円/kwh

設備利用率

年間の発電量（1日平均発電量×365日）2022年	16,364.00 kWh/年	12.92%	202,081 円
推定値（1,000倍値）との比較	113.22%		(2016〜2022年)
1kwのシステムが1年間に発電する発電量	1,132.22 kWh/kW		

平均日射量　　　　発電ロス係数　システム発電量　稼働日数　　年間発電量（推定値）
3.58kwh/㎡・日　×　　0.73　×　14.453kw　×　365日　＝　13,786 kwh/年

　当初の計画では、NEDOの日射量データベースの数値に発電ロスを見込んで、

　年間の発電量を約 13,800 kwh　と見込んでいました。

　上表は、約7年間の実績値です。平均でで 15,462kwh　を発電しています。

　この結果、当初の目標値をクリアしました。

　　　　実績値：15,,462kwh　＞　見込値：13,800 kwh

パネル枚数		58 枚
1枚当たり	年間発電量	282.14 kwh/年・枚
	1日当たり発電量	0.77 kwh/日・枚

ワイヤー式営農型太陽光発電設備
（特許申請内容）

JP 2016-15865 A 2016.1.28

(19)日本国特許庁(JP)　　　(12)公開特許公報(A)　　　(11)特許出願公開番号
　　　　　　　　　　　　　　　　　　　　　　　　　　　　特開2016-15865
　　　　　　　　　　　　　　　　　　　　　　　　　　　　(P2016-15865A)
　　　　　　　　　　　　　　　　　　　　(43)公開日　平成28年1月28日(2016.1.28)

(51)Int.Cl.　　　　　　　　　　FI　　　　　　　　　　テーマコード　(参考)
　　H02S　20/10　　(2014.01)　　　H02S　20/10　　　N

　　　　　　　　　　　　　　審査請求　未請求　請求項の数8　OL　　(全19頁)

(21)出願番号　　　特願2014-236459 (P2014-236459)　(71)出願人　593144828
(22)出願日　　　　平成26年11月21日 (2014.11.21)　　　　　　　株式会社福永博建築研究所
(31)優先権主張番号　特願2014-118620 (P2014-118620)　　　　福岡県福岡市中央区赤坂二丁目4番5号
(32)優先日　　　　平成26年6月9日 (2014.6.9)　　　(74)代理人　100097179
(33)優先権主張国　日本国(JP)　　　　　　　　　　　　　　　弁理士　平野　一幸
　　　　　　　　　　　　　　　　　　　　　　　　　(72)発明者　福永　博
　　　　　　　　　　　　　　　　　　　　　　　　　　　　　福岡市中央区赤坂二丁目4番5号　株式会
　　　　　　　　　　　　　　　　　　　　　　　　　　　　　社福永博建築研究所内

(54)【発明の名称】空中ワイヤによる太陽光発電設備

(57)【要約】
【課題】　ワイヤを使用しながら、営農における収穫減を抑制しつつ発電できる空中ワイヤによる太陽光発電設備を提供することを目的とする。
【解決手段】　本設備は、地中から所定高さまで起立し、南北方向について所定距離だけ隔てて相対向する一対の架台10を設け、架台10の上面において南北方向を向く一方の辺に第1ワイヤガイド15を、他方の辺に第2ワイヤガイド16を設けてなる。第1ワイヤガイド15同士と第2ワイヤガイド16同士にそれぞれ案内される一対のワイヤ4を、架台10に架け渡し、ワイヤ4の張力を調整するチェーンブロック20を架台10に設け、ワイヤ4のそれぞれをパイプ21に貫通させ、パイプ21の所定箇所に一対の布板22のフック22aを係止し、布板22に太陽電池モジュール23を固定する。
【選択図】　図1

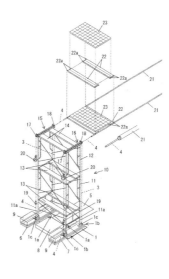

発明の名称

ワイヤー式営農型太陽光発電設備

東日本大震災及びそれに伴う福島第一原発事故に直面した我が国において、原発に代わる代替エネルギーの提供手段が求められている。代替エネルギーを得るため、メガソーラーに代表されるように、広い面積に多数の架台を固定し、これらの架台に太陽光発電パネルを取り付けて発電する事業が展開されている。しかしながら、このようにすると発電のためだけに、広い面積を確保する必要があるだけでなく、大規模な架台を構築せざるを得ない。一方、我が国は65歳以上の高齢者が人口の4分の1を占める超高齢化に直面し、高齢者を単に社会保障制度で保護するだけでなく、むしろ健常な高齢者が1日あたり約4時間程度働ける職場を作り、そこで4時間程度働いて収入を得てもらうなど、社会的役割を担ってもらい、生きがいを感じるような施策がとられることが望ましい。このような難しい局面を打開するための一手法として、本発明者は、農地（田んぼ、畑、牧草地等）において農家及び健常な高齢者を中心に作業を行い、太陽光発電を行うことを熟考している。

現在の局面を整理すると、次のような問題点がある。第1に、東日本大震災に伴う福島第一原子力発電所の事故を契機として、原子力発電の安全神話が破壊され、原子力発電は信頼を失い停止に追い込まれている。第2に、火力発電所において化石燃料を燃やし、原発の停止による電力不足を補っているが、このようにすると、地球温暖化ガスの大量発生や燃料輸入による貿易赤字等の重大なマイナス作用が避けられない。第3に、就農者の高齢化の問題に加え、TPPに関する交渉を進めるなか、我が国の農業あるいは農村の将来が危ぶまれている。これら諸問題を一挙に解決する方策として、本発明者は「米と発電の二毛作」を提案し、「米と発電の二毛作」を実現するための具体的技術を開示する。本発明者は、農地等においてこの方式による発電量が5年程度で総発電量の1％（金銭ベースで1兆円）を超えれば、「米と発電の二毛作」が社会事業としても認知されるであろうと予想している。「米と発電の二毛作」といっているのは、農地が太陽光発電に活用され、農地が田んぼであれば、農地で米と電気の両方を生産できるからである。

■技術分野

本発明は、農地を活用ながらも、米作りを妨げない空中ワイヤーによる太陽光発電設備に関するものである。特に、本発明は、後に明らかにするように、「米と発電の二毛作」を可能とするものである。

■発明が解決しようとする課題

通常の野立型太陽光発電設備は、多くの太陽電池パネルを連結するため下部の農地は日影になり日照が著しく妨げられ収穫に与える影響は甚大になることから、営農型では利用できない。その為、一般的な営農型太陽光発電設備は、建設現場の足場などで利用される単管や角鋼管材を柱や梁に使い、そこに太陽電池パネルを載せている形が多い。しかしながら、この形状では、地面の上で柱と柱をつなぐ「柱つなぎ」や筋交いがないため、台風などの強風や地震などに弱い構造になっている。また、従来の構成だと柱の間隔は約5mピッチ程度となり多くの柱が立つことや、柱つなぎや筋交いを設けると、耕運機やコンバインなどの農業機械の通行を阻害するといった問題点があった。

■課題を解決するための手段

そこで本発明は、ワイヤーを使用しながら、営農における収穫減を抑制しつつ発電できる空中ワイヤーによる太陽光発電設備を提供することを目的としている。

基本の構成

ワイヤー式営農型太陽光発電設備は、①20～30m間隔で、高さ4m程度の相対する架台を設置する。②相対する架台間には並行する2本のワイヤーを渡し架ける（尚、ワイヤーを保護するために水道管などを利用してワイヤーガードとし、さや管の中にワイヤーを通している）、③2本のワイヤーガードの間に布状の板（建設現場で用いられている足場板などを活用する）を渡し架ける、④布状の板に太陽電池パネルを固定する、といった基本構造となっている。

この構成により、太陽電池パネル、地面から3mの高い位置にあり、空中に存在していること、架台間には柱はないことから、トラクターなどの農作業に使用される機械類を支障なく走行させることができる。当然、太陽電池パネルの下方には、光が通りうる空間が空けられており、太陽電池パネルの配置間隔は、1日の日影時間が最大で3.5時間以内になるように計算されており、約9時間の日照を確保している。

太陽光発電設備同士の間隔や一対の架台間に設置される太陽電池パネルの個数を適切に設定すれば、収穫量に与える影響はほとんど生じず、基本の構成では1反あたり15kW程度の発電を行える。

尚、ワイヤーガードには水道管、布板は枠組足場など、市場で流通していて入手しやすくかつ安価な材料を利用して、架台を構成できる。

架台の基礎

架台の基礎に用いるベースプレートの中央部には、対向する架台へ向く前向部材が延設され、かつベースプレートの両側部には、対向する架台の反対側へ向く後向部材が延設され、後向部材上に側部錘が載置される。これにより、前向部材が転倒を防止し、かつ後向部材上の側部錘が転倒モーメントに対するカウンターとして作用するため、ベースプレートがあたかも地中にあるブックスタンドのような作用をなし、前倒れに対する架台の安定性を一層向上できる。また、ベースプレートには水抜孔が形成されており、水抜孔を介して地中で水が移動することにより、架台の水平を保持することができるし、錘により架台の安定性を向上できる。

ワイヤーの張り方

ワイヤーは、相対する架台の両方にチェーンブロックを介して固定されている。入手しやすくかつ安価な市販のチェーンブロックを使用して、ワイヤーに作用する張力を調整することができる。

太陽電池パネルの水勾配

本発明に係る空中ワイヤーによる太陽光発電設備では、相対する架台間にワイヤーを渡し架けるため、架台間に設置する太陽電池パネルは、ワイヤーのたるみによって自然に傾斜しており、この構造により、太陽電池パネルをことさらに傾けなくても、太陽電池パネルに十分な水勾配を付与できる。したがって、太陽電池パネルが雨で濡れても、直ちに雨を排水することができ、太陽電池パネルのメンテナンスを容易に行える。

■発明の効果

この構成により、次のような効果がある。
①架台間に柱がないため農業機械が自由に動くことができるため生産性が高くなる。
②ワイヤーで吊っているため太陽電池パネルを上下に動かすことができるので太陽電池パネルのメンテナンスがしやすくなる、台風などの強風時に予め太陽電池パネルを下部の農作物に影響のない高さまで下に降ろすことができ、装置と農作物の双方を保護できる。
③架台の範囲だけ水平であれば良いため、傾斜地においても、平坦地とほぼ同様の構成で太陽電池パネルを設置して発電を行うことができる。つまり、田畑のように平坦な地形のみならず、茶畑、牧草地あるいは林等の傾斜地でも発電でき、本設備の提供範囲を大幅に拡張できる。

このように本発明によれば、ワイヤーを使用して、太陽電池パネルによる日影の影響を極力少なくしながら、営農により米などをつくりながら発電でき、言い換えれば「米と発電の二毛作」を実現できる。

ワイヤー式営農型太陽光発電設備の特許図

図1

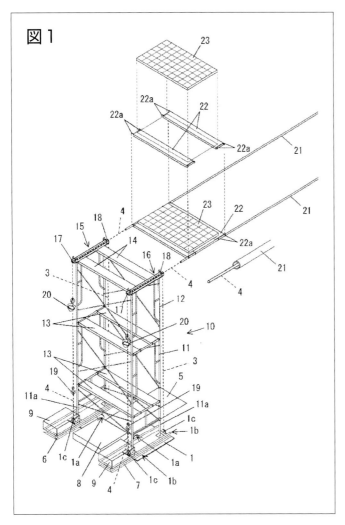

図3

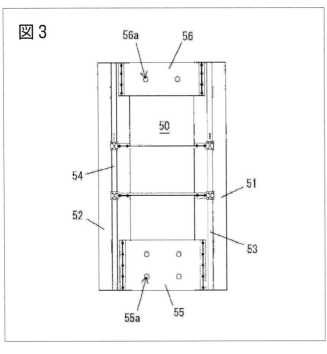

図2

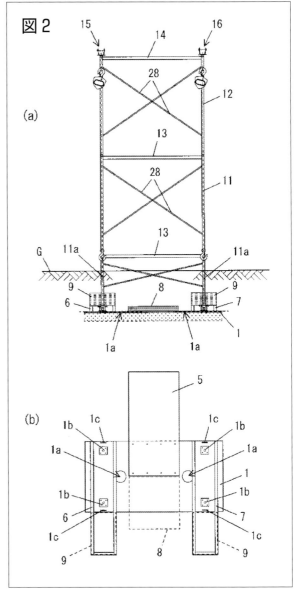

図1：架台の斜視図
図2：架台の立面図及び基礎平面図
図3：架台のベースプレート
図4：架台の側面図
図5：発電設備の全体図（1列）

図4

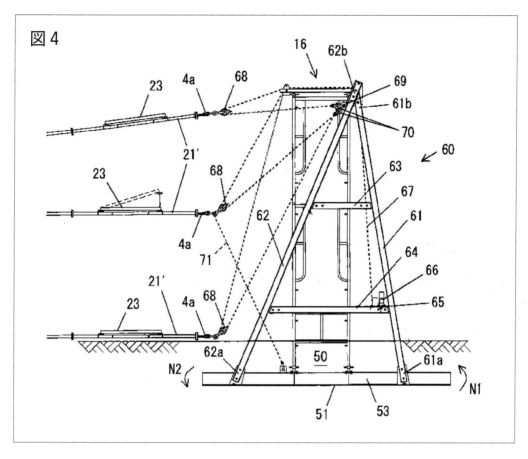

図5

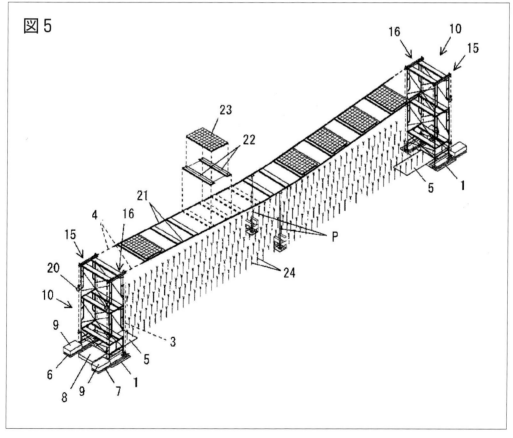

図6

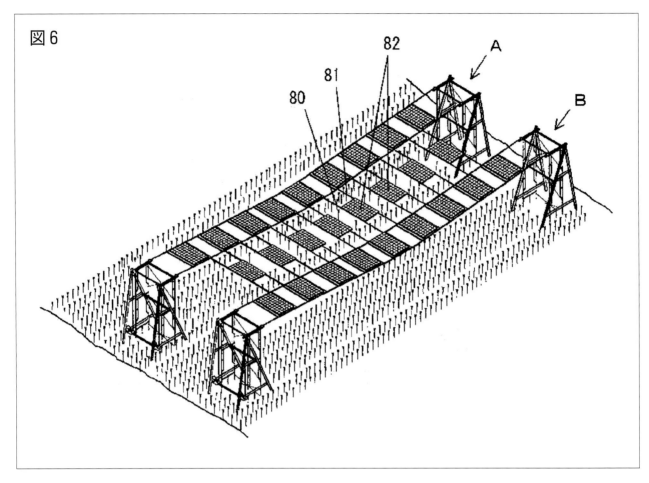

図7

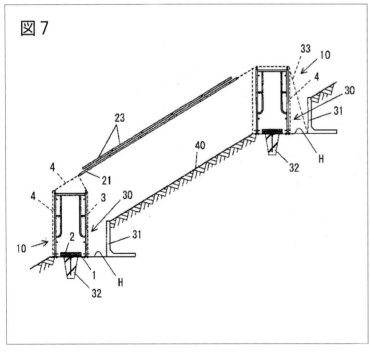

図8

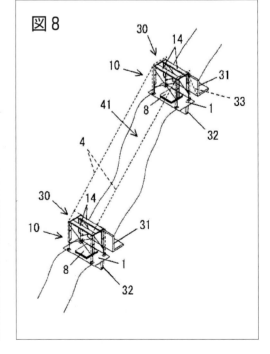

図6：発電設備の全体パース
図7・8：斜面に設置した例

第 2 章

マンション問題の解決策

300年住宅
VACSからSEFLへ
バックス　　　　　　　セフル
そして、長期優良住宅先導的モデル事業へ

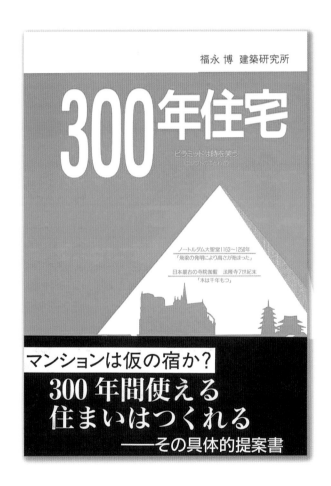

「300年住宅」の技術開発は、長命化のコストを捻出するために、

従来のマンションのコストダウンを図ることから始まりました。

この節は、付加価値を高めながらコストダウンを行うための技術「VACS（バックス）」から、

長命化のための技術「SEFL（セフル）」に移行する過程の説明を行っています。

「300年住宅」は、マンション問題を「解決」する根本的なコンセプトです。

300年住宅を実現する「VACS」とは

「300年住宅」は従来のマンションに比べ非常に高い品質を有しますが、従来の建設システムを踏襲すればコスト高となります。「300年住宅」で重要なことは、それを手に入れられる価格に設定することです。そのため、まずは従来のマンションのコストダウンを行い、生み出した予算を長命化の技術の導入に充てることとしました。このコストダウンの研究を積み重ねて完成したのが「VACS（バックス）システム」です。

「VACSシステム」は「コストを抑えつつ、品質を向上させる」建築手法です。「VACSシステム」に、①300年対応の耐久性、②耐震構造の強化、③空間の自由性の向上など、３つの技術を加えることにより「300年住宅」は完成します。

VACS プランと VACS 工法

「VACSシステム」は"Value Added（バリューアデッド）"＆"Cost Saving（コストセービング）"の略称です。"Cost Saving"は合理的にコスト節減した商品をつくることであり、"Value Added"とは付加価値を与えることです。

「VACSシステム」は、「VACSプラン」と「VACS工法」で構成されます。

「VACSプラン」では、効率的な住棟の構成方法と構造計画を採用しています。これにより材料は節減され、併せて構造は安定したものとなり、空間的な品質も格段に向上しています。

「VACS工法」では躯体・内装・設備の３つの工程に新しい工法を採用しています。作業スピードを向上させることにより生産性を上げ、工事単価の削減を目指しています。これは建築のシステム化をベースに、量産化が可能な工程には工場生産方式を導入しようとするものです。

建築コストは、材料の使用量と工事単価の掛け算に過ぎません。構造材の使用量を削減するとともに生産性を向上させ、工事単価を下げればコストを合理的に低減できます。「VACSプラン」で材料の節減を、「VACS工法」で単価の削減をそれぞれ実現し、トータルなコストダウンを図っています。

従来のマンションとここが違う

■構造計画が違う
①北と南の二方向で逆梁を使うことで、構造三役（型枠・鉄筋・コンクリート）のコストを約15％下げることができま

す。なお、バルコニーと廊下の腰壁と梁成を加え、1350mmと高くします。

②片持ちのキャンティレバーをやめて、廊下やバルコニーを柱梁の内側の構面内に納めることで、長期荷重の負担を少なくします。

③従来のマンションでは施工床は法床の約140％程度になっています。VACSプランにより施工床の対法床比を125％程度までコンパクト化でき、工事費を削減することができます。

■住戸配置が異なり内部プランが変わる

①従来の片廊下型からホール型となることで、廊下やエレベータホールなどの共用部分がコンパクトになります。

②住戸内は、中入り玄関になることで、住戸内の廊下の無駄を抑えることができます。

③3戸1型の住棟ブランの場合、左右の部屋は「角部屋」で、中住戸は南側に間口が広い「南面三室」となって、各特長を活かせます。

■外観デザインが違う

屋外階段、廊下、バルコニーなどの共用部分が、全て柱間内に集約されることで階段が建物から飛び出すことがなくなり、特に北側はスッキリとした意匠デザインになります。

VACS型の住棟配置は「3戸1型」を基本とする

片廊下方式を改め、北側居室が廊下に接しないプライバシーの高い3戸1型の住棟構成とします。屋外階段が建物から突出しないため、北側の見栄えが良くなります。南側はバルコニーが柱間から飛び出さないのでスッキリ収まります。

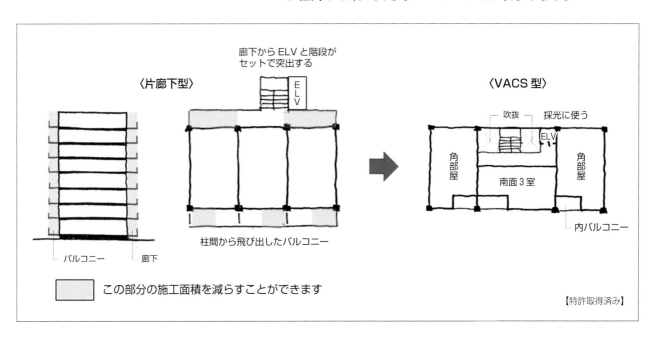

〈片廊下型〉
廊下からELVと階段がセットで突出する
バルコニー　廊下
柱間から飛び出したバルコニー

〈VACS型〉
吹抜　採光に使う
ELV
角部屋　南面3室　角部屋
内バルコニー

この部分の施工面積を減らすことができます

【特許取得済み】

敷地に対応し、変化できる柔軟なバリエーション
①3戸1型を基本とし、2戸1型・4戸1型への展開が可能
②敷地の形状に応じて住棟配置を柔軟に変化させやすい

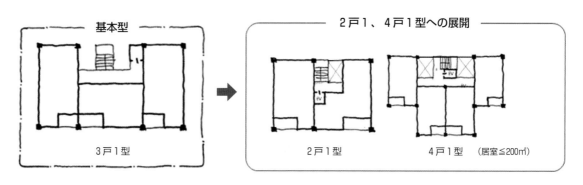

基本型

3戸1型

2戸1、4戸1型への展開

2戸1型　　　　4戸1型　（居室≦200㎡）

野多目台団地 基本計画より

中央のセンターハウス（緑色）を中心に
3戸1型を5棟配置している

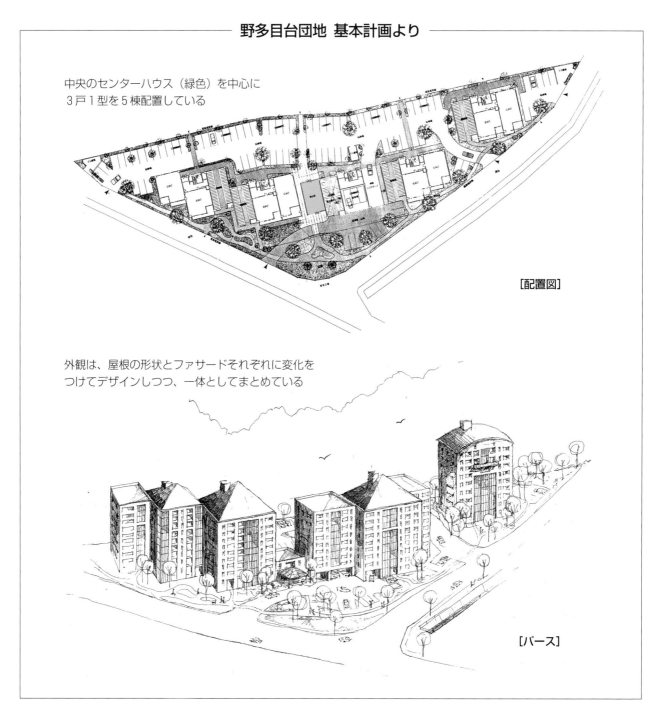

[配置図]

外観は、屋根の形状とファサードそれぞれに変化を
つけてデザインしつつ、一体としてまとめている

[パース]

野多目台団地 基本計画より

シンプルな平面プラン
①南北に逆梁を利用して、上部を出窓として利用する
②住戸はホール型とし、中廊下の無駄をなくす

【特許取得済み】

VACS はコストダウンをしながら価値を高める

■ VA 効果（価値向上）

①3戸1タイプの採用

  (a)左右の角部屋＋中央の南面3室型

  (b)室内感覚で利用度の高い内バルコニーの実現

  (c)外観は廊下・階段・バルコニーが躯体から突出しない
    スッキリしたデザイン

  (d)配置計画の自由度が高い

  (e)住戸規模の設定が自由

  ※1階段、居室200㎡以下が基本

②大梁の下端に左右されないので、

  (a)窓側の内法寸法（H：2.2m）を高め、開放性の高いイン
    テリアを実現

  (b)逆梁の上部を出窓として利用することで広い室内

③CSによる仕様アップは「長命化」に振り向ける

  (a)外壁4面にタイル貼り

  (b)外配管は住みながら更新できる共用設備配管

  (c)長命化の技術（二重防水、水切りなど）

■ CS 効果（コストダウン）

当時（1990年代）、構造コストを大幅に節減できた理由

①施工面積を抑えるプランニング（約20％減）

②両方に逆梁を使う

③バランスの良い住戸配置と耐力壁

■構造三役の比較（1990年代の数値）

当時の実績	鉄筋	コンクリート	型枠	合計
片廊下型	100%	100%	100%	100%
VACS型	67.0%	63.5%	68.4%	66.9%
減額	▲33.0%	▲36.5%	▲31.6%	▲33.0%

VACS型マンションにすることで、建設コストが下がる

①施工床面積が85％になることで、建設コストはおよそ▲7.5％の減が見込まれる

　　施工面積が15％減の時、内装を伴わないバルコニーなどの共用部分の対象コストは50％なので、▲15％×50％＝▲7.5％となります。例えば、10億円の工事費の場合、10億円 × ▲7.5％＝▲7,500万円となります。

②構造三役は▲3.75％の減が見込まれる

　　構造コストが建物に占める割合は、全工事費の約25％程度となっています。両逆梁と施工面積▲15％減により、25％×▲15％＝▲3.75％。10億円の工事費の場合、10億 × ▲3.75％＝▲3,750万円減となります。

　2つの効果の合計は、

　①▲7,500万円＋②▲3,750万円＝▲1億1,250万円

となり、これに経費分▲10％を加算すると、

　▲1億1,250万円 ×1.1＝▲1億2,375万円

　▲1億2,375万円 ÷ 工事費：10億円＝▲12.37％のコストダウンとなります。

　その結果、建設費は87.63％（＝100－12.37）に圧縮されるので、戸当たり単価は、75㎡プラン：2,000万円/戸であれば、2,000万円/戸 ×87.36％≒1,747万円/戸になります。

> **まとめ**
>
> VACS を採用すると、一般的なマンションの工事費を約12%程度コストダウンできる。
>
> 　〈例〉一般的なマンション：2,000万円/戸
>
> 　　　　　　　　　　　　　　　↓　▲250万円/戸
>
> 　　　VACS マンション　：1,747万円/戸
>
> 減額できた費用（▲250万円/戸）を、①販売価格を下げるのことに使うのか、②長命化の費用に充てるのかを選択できます。
>
> VACS の技術により、長命化マンションをつくる際の一番の障壁であった「コストアップ」という問題をクリアでき、「300年住宅」を採用できるようになります。

マンションの長命化── VACS から SEFL へ

■長命化がもたらす社会的メリット

　マンションを長命化させると様々なメリットがあります。「使う人の立場で考える」とわかりやすいと思います。マンションを100年以上使えるようになると、毎世代、高額な住宅を求める必要がなくなり、その分を教育や老後の資金に回すことができます。住宅コストが減少すると、生活にゆとりをもたらします。デメリットは長命化による建設費のコストアップですが、それを VACS によって生み出して対応しています。

■300年住宅のコンセプトフレーム

　では、「長命化マンション＝300年住宅」では、どのような内容が求められるのか、どのように考え、それに必要な技術や社会構造は何か、どのような未来（結果）を実現させるのかなどを、下記の「9つのフレームワーク」で考えました。長命化のマンションについて、⑴考え方、⑵方法、⑶結果と3段階で捉えます。さらに各段階を3つずつに区分して、全部で9つのフレームワークを設定しています。

　詳細は『300年住宅のつくり方』（建築資料研究社）に掲載しています。

> ①考え方＝⑴安全性、⑵自由性、⑶エコロジー
> 　　　　　　※資産の安全性と構造躯体の安全性
> ②方法＝⑷技術開発、⑸市場形成、⑹金融補助
> ③結果＝⑺生活保全、⑻資産形成、⑼都市環境

■マンションが抱える問題

　集まって住むという「マンション」という形態には、①多くの住民の集合体である管理組合における意思決定の難しさ、②マンションという建物の管理や運用・保全のための建築的知識の不足などの問題があります。マンションが最初から「300年」を前提とした建物であれば、このような問題も軽減されます。しかし、一般的なマンションは、「300年」を前提とした技術で建設されてはいません。

■300年住宅の基本的な考え方

　300年住宅では、「時間に保たせるモノ」と、「周期的に更新が必要なモノ」に大別し、100年以上の時間に必要な「コンクリートの耐久性や耐震性」など主に構造的な内容については、手を加えることがないようにする技術を採用しています。また、定期的に交換しなければならない屋上防水材は100年目の交換、共用配管類は50年毎の交換など、更新しやすい仕組みづくりや修繕周期を延ばす工夫をしています。

■「VACS」で節約したコストを長命化の技術
　—「SEFL（セフル）」に使うと価値が変わる

　VACSで生み出した費用を、長命化の技術に利用します。当社が開発した長命化の技術を「SEFL（セフル）」と呼んでいます。

　この「SEFL」とは、

Safety	＝	資産を守る・安全を守る
Ecology	＝	環境を守る・エコロジーな工法
Freedom	＝	自由性が高い
Long life	＝	長く使える

という４つのコンセプトの頭文字をとったものです。

SEFL（セフル）の６つの考え方
①頑丈な躯体
②共用設備配管を50年毎に全て取り替える
③足場を架ける工事は50年毎に行う
④変化に対応できる自由性を高める
⑤住みながら工事ができる
⑥改修費は修繕積立金内に収める

　このSEFLの考え方は「長期優良住宅先進的モデル事業」に採択されました。技術の内容は次節で紹介します。

SEFL-A（長命化技術の基本セット）

②⑤共用配管の取り替え（外配管／50年後）［p.174］

①③屋根の二重防水［p.151］

③階層目地の水切り［p.159］

③妻壁ゴンドラ［p.160］

※①〜⑥の番号は左ページの「6つの考え方」に対応する。また［　］
内の数字は書籍『300年住宅のつくり方』の該当ページ（以下同）

SEFL-B（外装材の安全性を高める技術や住戸内の可変性能を高める技術）

③レンガ手すり［p.156］　　　　　　　　　　　＋13万円／戸

④ VACS 間仕切りパネル［p.122］　　　　　　　＋ 2万円／戸

④⑤南側全面サッシュ、トリプル壁［p.165〜167］

＋20万円／戸

SEFL-C（建設時や更新時に地球環境に負荷を掛けないエコロジカルな技術）

②④⑤専有部横引管の取り替え（床・壁）［p.131］

＋10万円／戸

㋐土を出さない基礎工法［p.114］　　　　　　＋10万円／戸

㋑プラスティック型枠（床・壁・剥離しないタイル）

［p.116〜118、p.152］　　　　　　　　　　　＋10万円／戸

長命化の技術：SEFL-A（基本セット）のコスト

①躯体強度1.25倍	＋60万円／戸
①かぶり厚（実効40mm ＋20mm）	＋ 1万円／戸
②⑤共用配管の取替え（外配管）	± 0万円／戸
①③屋根の二重防水	＋ 7万円／戸
③階層目地の水切り	＋ 2万円／戸
計	＋70万円／戸
SEFL 技術使用料	＋ 2万円／戸
経費と調整	＋28万円／戸
合計	＋100万円／戸

VACSにより、戸当たり▲125万円コストダウンしたので、長命化の技術SEFL-A（基本）セットを導入しても、建設費の増加にはつながらない。

VACS	▲125万円/戸
SEFL-A	100万円/戸
計	▲25万円/戸

「SEFL-B」の追加コストは「SEFL-A（基本セット）」＋35万円/戸になります。

「SEFL-C」の追加コストは「SEFL-A（基本セット）」＋30万円/戸になります。

■ VACSでコストバランスを図り、SEFLで土地から建物へ価値基準を移行させる

SEFLの技術を使うとマンションは100年以上存在し続けることになり、建物にも社会的責任が生まれます。建物は個人の所有物ですが、周辺環境にとっては公共的な側面もあります。周りの環境にも影響を与えるので、一方的に偏ったものをつくることはできません。それを踏まえて、考え方を正し、技術開発で裏付けを行い、支持を得ることが大切です。

また、「長命化マンション」独自の売買流通市場を構築し、「長命化マンション」の価値を確立することで、価値基準を「土地から建物へ」移行し、建物の信用と「300年住宅」の中古価格の安定や担保力の確保を図らなければなりません。

デベロッパーのメリットは、「長命化マンションをつくり、差別化を図る」

①100年住めるマンションの基本の建物を、研究開発なしで手に入れることができる。
②SEFLの原価に経費を上乗せするので、デベロッパーの負担にはならない。
③SEFL技術のうち、特に"S（セイフティ）"は資産の安全を図り、地震への安全は1.25倍で公共建築並みになり、より安心を得て、分かりやすい差別化が図れる。
④飽和している市場において、新しい価値のマンション（市場）を創ることができる。
⑤マンションの価値が崩壊した時に先行物件を持つことが救命ボートになる。＝"用意"をする

この「300年住宅」市場をつくるために、住み手にわかりやすくする必要があり、その証明を3段階の「SEFLマーク」で表示します。

■共通の SEFL マークを使う

①長く使えるマンションを建てる

②長命化の技術を証明 = SEFL（セフル）

「SEFL マーク」で証明する

||

将来の資産価値をわかりやすく担保する

■ 3 段階の SEFL レベルのうち、まず A を行う

　導入しやすい基本技術の A から始めて、内容を理解した上で段階的に導入していきます。

　SEFL-A　ベーシック（70～100年に至る）

　SEFL-B　100年を超える

　SEFL-C　エコロジカルなつくり方

　SEFL マークを社会に出して消費者に認識してもらうことが出発点であり、長命化の技術を「メニュー形式」にすることで、事業者が採用しやすくしています。

VACS型マンションの採用例

パーク・サンリヤン大橋（2001年）

シャトレシーサイド百道（1995年）
※ VACS 型第１号マンション

けやき通りプレジオ（2002年）

リーベンス大里西（1997年）

ガーデンヒルズ浄水Ⅰ・Ⅱ・Ⅲ（1991〜2003年）

VACS 型マンションの採用例

シャトレ薬院（1991年）

サンリヤン美咲が丘（2001年）

サンリヤンアネックス三国ヶ丘（2000年）

プライムガーデン筒井（2006年）

ロフティ博多南（2005年）

アメニス桜山寺（1995年）

躯体の比較

〈一般的な片廊下型 3 戸 1 タイプ〉

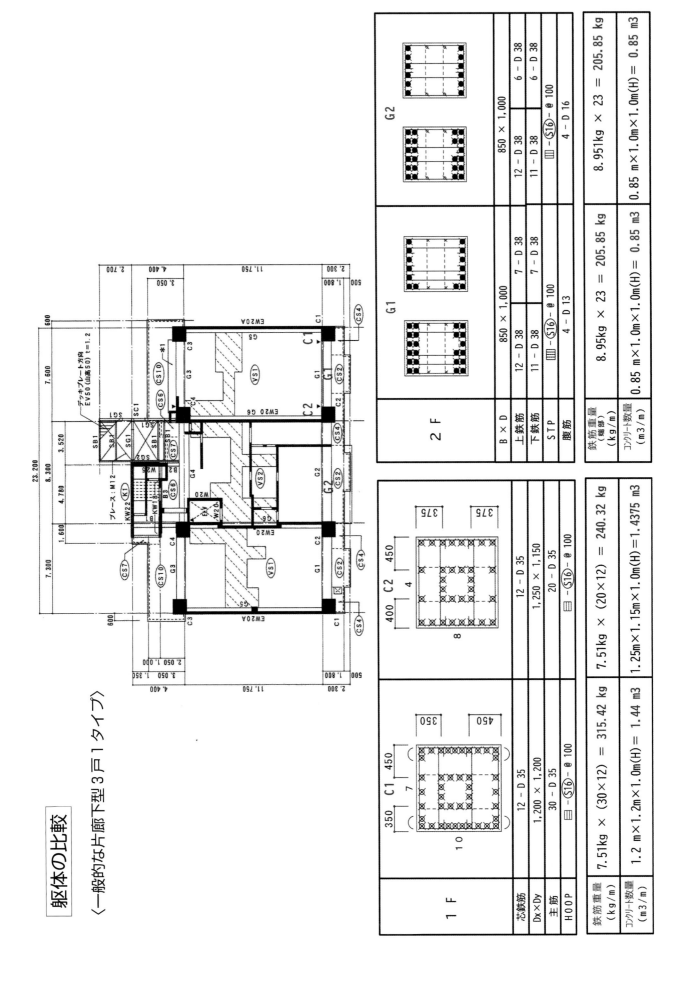

1 F

C1		
芯鉄筋	12 – D 35	
Dx×Dy	1,200 × 1,200	
主筋	30 – D 35	
HOOP	$\boxplus$ – S16 – @ 100	
鉄筋重量 (kg/m)	7.51kg × (30×12) = 315.42 kg	7.51kg × (20×12) = 240.32 kg
コンクリート数量 (m3/m)	1.2 m×1.2m×1.0m(H) = 1.44 m3	1.25m×1.15m×1.0m(H) =1.4375 m3

(C1: 450×350 / 350×450)
(C2: 400×450 / 375×375)

C2
	12 – D 35
	1,250 × 1,150
	20 – D 35
	$\boxplus$ – S16 – @ 100

2 F

	G1		G2	
B × D	850 × 1,000		850 × 1,000	
上鉄筋	12 – D 38	7 – D 38	12 – D 38	6 – D 38
下鉄筋	11 – D 38	7 – D 38	11 – D 38	6 – D 38
STP	$\boxplus$ – S16 – @ 100		$\boxplus$ – S16 – @ 100	
腹筋	4 – D 13		4 – D 16	
鉄筋重量 (端部) (kg/m)	8.95kg × 23 = 205.85 kg		8.951kg × 23 = 205.85 kg	
コンクリート数量 (m3/m)	0.85 m×1.0m×1.0m(H) = 0.85 m3		0.85 m×1.0m×1.0m(H) = 0.85 m3	

躯体の比較 〈VACSタイプ〉

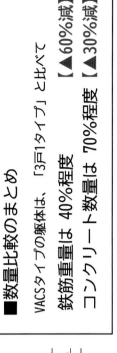

■数量比較のまとめ

VACSタイプの躯体は、「3戸1タイプ」と比べて

鉄筋重量は 40%程度 【▲60%減】
コンクリート数量は 70%程度 【▲30%減】

◆VACSによる構造のコストダウン

建築費の内、25%が躯体に掛かる費用です
VACSではこの躯体費の数量を30%減少できます

したがって、建築費全体における減額は

構造費 :25%×減額率 :30% = **7.5%** となります

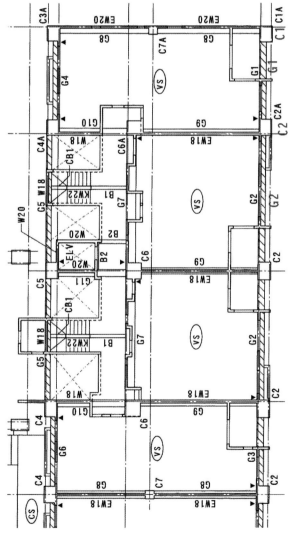

1 F	C1	C2
芯鉄筋		
Dx×Dy	1,150 × 850	1,150 × 850
主筋	18 - D 32	18 - D 32
HOOP	囗 - (S13) - @ 100	囗 - (S13) - @ 100
鉄筋重量 (kg/m)	6.23 kg × 18 = 112.14 kg　[比較] 112.14 kg÷315kg=35%に相当	6.23 kg × 18 = 112.14 kg　[比較] 112.14 kg÷240kg=46%に相当
コンクリート数量 (m3/m)	1.15 m×0.85m×1.0m(H) = 0.9775 m3　[比較] 0.97 m3÷1.44m3=67%に相当	1.15 m×0.85m×1.0m(H) = 0.9775 m3　[比較] 0.97 m3÷1.43m3=68%に相当

2 F	G1	G2
B × D	450 × 1,330	450 × 1,330
上鉄筋	7 - D 32 / 4 - D 32	7 - D 32 / 4 - D 32
下鉄筋	7 - D 32 / 4 - D 32	7 - D 32 / 4 - D 32
STP	囗 - (S13) - @ 150	囗 - (S13) - @ 150
腹筋	6 - D 13	6 - D 13
鉄筋重量 (端部) (kg/m)	6.23 kg × 14 = 87.22 kg　[比較] 87 kg÷205kg=42%に相当	6.23 kg × 14 = 87.22 kg　[比較] 87 kg÷205kg=42%に相当
コンクリート数量 (m3/m)	0.45 m×1.33m×1.0m(H) = 0.5985 m3　[比較] 0.59 m3÷0.85m3=70%に相当	0.45 m×1.33m×1.0m(H) = 0.5985 m3　[比較] 0.59 m3÷0.85m3=70%に相当

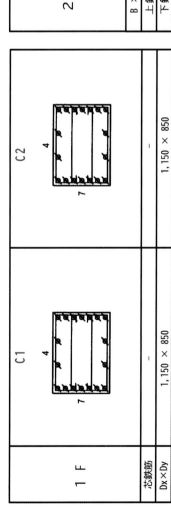

長期優良住宅先導的モデル事業

左上から時計回りに、ブライトサンリヤン別府シールズ、パーク・サンリヤン
博多の森Ⅳ番館、オーヴィジョン塩原、オーヴィジョン新山口ネクステージ

「いいものをつくって、きちんと手入れして、長く大切に使う」
というストック社会の住宅のあり方について、広く国民に提示するため、
建設工事費等の一部を補助する「長期優良住宅先導的モデル事業」を
国（国交省）が公募しました。
2009年 2 月 4 日から 3 月16日までに民間などから311件の応募がありました。
当社の「300年住宅プロジェクト」は、マンション問題の「解決策」として、
4 棟223戸が採択されました。

この節では、採択された長命化の技術についてご紹介します。

　長期優良住宅先導的モデル事業は、「いいものをつくって、きちんと手入れして、長く大切に使う」というストック社会の住宅のあり方について、具体的な内容をモデルの形で広く国民に提示し、技術の進展に資するとともに普及啓発を図ることを目的としています。

　私たちは「考え方」「方法」「結果」の「3つの軸」と「9つのフレームワーク」（前節参照）に沿って提案を行いました。

　ここでは、以下のリストより抜粋して、その技術をご紹介していきます。

長命化のための6つのコンセプトとそれに該当する長命化の技術

1. 頑丈な躯体をつくる
(1)構造の強度を1.25倍にする
(2)コンクリートのかぶり厚を40mmにする
(3)外装材をレンガや剥離しないタイルでつくる

2. 共用の設備配管を50年毎に更新する
(1)竪管を外配管にする
(2)シャフトボックスを車のボンネット化して更新を簡便にする
(3)横引管は、人が入って工事ができる地下トレンチにする

3. 足場をかける大規模修繕は50年毎に行う
(1)陸屋根を二重防水として、50年目に上の防水層を全面交換する
(2)階層目地に水切り・ゴム・シールを設けて50年間漏水を防ぐ
(3)バルコニー・廊下側の腰壁をメンテナンスフリーのレンガにする
(4)バルコニー側は小壁をなくし全面サッシュにする
(5)エネルギー系統をトリプル壁にまとめる
(6)廊下側の壁をレンガでつくり、長命化と再利用を図る
(7)妻壁をレンガにしてメンテナンスフリーにする
(8)剥離しない打ち込みタイルを使う

4. 建物の使用が300年という時間の変化に対応できるような自由性を高める
(1)外配管とし、また小梁のないフラットな天井にする
(2)間取り変更に応じて設備配管が変更できる
(3)間取りはそのままで設備配管が更新できる
(4)バルコニー側サッシュが間取りに応じて柔軟に可変できる
(5)廊下側の壁・開口が取り替え・変更できる
(6)更新・変更の際は、材料を再利用できる

5. 住みながら工事を行うことができる
(1)内装を壊さずに住みながら専有部分の設備の取り替えができる
(2)共用設備の更新は専有部内に入らず工事ができる

6. 改修費は積立金内で収める
(1)100年間の改修費を新築の60%以下に収める
(2)マンションの一番良い点は、みんなで修理費を公平に負担すること
(3)修繕積立金の収入は8,000円/月・戸以内に収める

2. 共用の設備配管を50年ごとに更新する〈外配管〉

2-(1) 竪管を外配管にする

「外配管」はマンションを長持ちさせるための基本的で必須の仕組みです。

風呂や台所の雑排水やトイレの汚水など、住戸内に３本以上の竪管が存在します。これらを交換する場合は、①部屋の中に入り、②壁を壊して、③最上階から下の階まで水を止めないと交換工事ができません。排水竪管を廊下やバルコニーなど、共用部に設置する「外配管」であれば問題は解決できます。

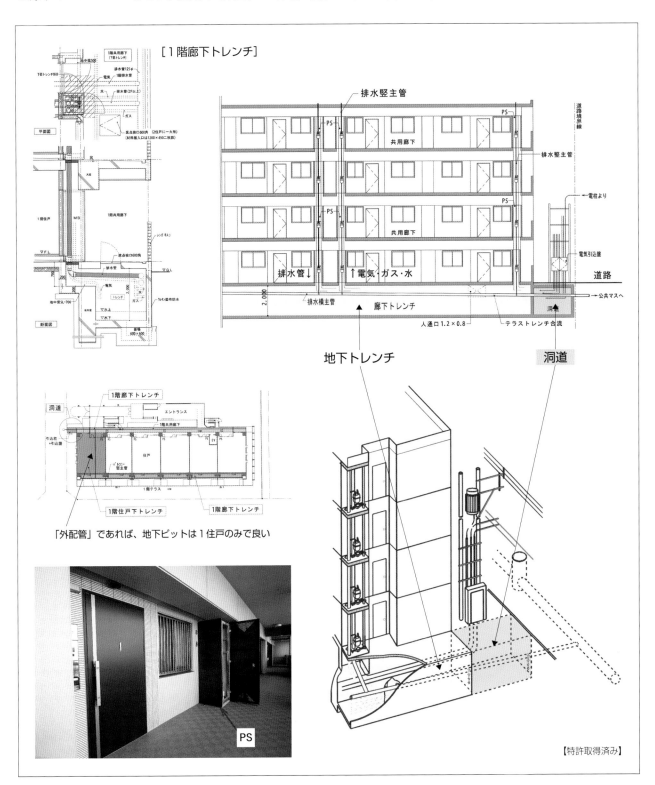

【特許取得済み】

2. 共用の設備配管を50年毎に更新する〈PS・MB〉

2-⑵ シャフトボックスを車のボンネット化して更新を簡便にする

　「外配管」では、竪排水管は共用廊のPS（パイプスペース）内やバルコニーに設置します。一般的なマンションのPSは左右と後ろの3方向をコンクリートに囲まれているため、PSの中のガスや水道、排水管などの修理や交換時にレンチなどの工具が回せないなどの課題があります。300年住宅の技術では、PSは鋼管フレームと鋼板の乾式工法で形成しているので、車のボンネットのように外枠を簡便に移動させることができます。

PS・MB（メーターボックス）は乾式でつくる（コンクリートで囲まない）【特許取得済み】

　また、設備用のPCパネルに孔が開いており、ガスや水道、排水管を設置する位置が予め決められているので、施工精度も高くなっています。

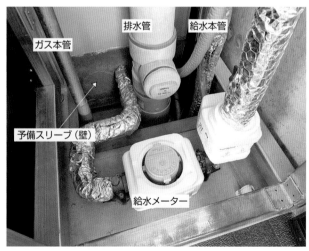

パイプシャフト納まり

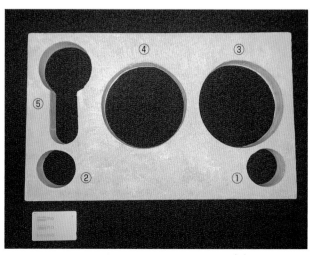

プレキャストコンクリートパネル
①ガス　②水道　③排水竪管　④予備孔（排水）　⑤電気幹線

2. 共用の設備配管を50年毎に更新する〈地下トレンチと洞道〉

2-(3) 横引管は、人が入って工事ができる地下トレンチにする

「外配管」で排水竪管を共用廊下のPS内に設置した場合、地下の共用横引管は、1階廊下の下のトレンチ内に設けることになります。300年住宅では、地下トレンチは人が立って作業ができる空間になっています。

また、地下ピット内の共用の配管・配線は、前面道路の電信柱や地下の公共桝・ガス管まで伸びています。一般のマンションでは、これらは土の中に埋設されていますが、300年住宅では地下トレンチと同様の空間＝洞道を設置して埋設はしていません。そのため、更新・鋼管の際に土を掘り返す必要がありません。

各住戸の竪管

電気幹線
給水本管
ガス本管

地下トレンチ内は人が立てる

排水主管

連結送水管

◀洞道
（とうどう）

地下トレンチ
の入口▶

▼洞道（拡大）

ガス本管

最終枡（公共）へ

排水主管

電気幹線の引き込み

【特許取得済み】

3. 足場をかける大規模修繕は50年毎に行う〈二重屋根防水〉

3-(1) 陸屋根を二重防水として、50年目に上の防水層を全面交換する

【特許取得済み】

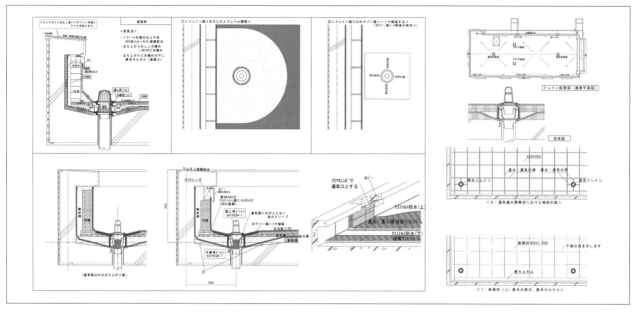

　屋根は外断熱でアスファルト防水を二重にしています。下の防水層は太陽光や雨に当たらないので100年以上保ちます。上の防水層が傷んで漏水しても、下の防水層が生きているので階下への漏水の心配はありません。

1. 下のアスファルト防水層

2. 下の断熱材で水の通る径をつくる

4. 水の径とドレンをつなぐ

5. 立ち上がりの通風口を孔あきレンガでつくる

6. 断熱材を重ね、上の防水層を施工

7. 二重防水屋根の完成

3. 足場をかける大規模修繕は50年毎に行う〈打ち継ぎ目地の三重防水〉

3-(2) 階層目地に水切り・ゴム・シールを設けて50年間漏水を防ぐ

壁の打ち継ぎ目地は、内側から①止水板、②水切り金物、③シーリングとなっており、「三重」の防水構造になっています。一番外側のシーリングが劣化しても、急いで足場をかける必要はありません。

打ち継ぎ目地の三重防水（水切り金物）

ステンレス打ち込み

1. 止水板を入れてコンクリートを打設する（防水①）

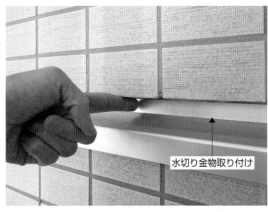

水切り金物取り付け

2. 水切り金物を取り付ける（防水②）

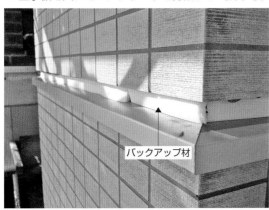

バックアップ材

3. バックアップ材を入れる

シーリング打ち

4. シーリングを打つ（防水③）

【特許取得済み】

3-(3) バルコニー・廊下側の腰壁をメンテナンスフリーのレンガにする

廊下やバルコニーの手摺壁に「レンガ」を使用しています。タイルとは異なり、経年劣化で剥落する恐れがありません。

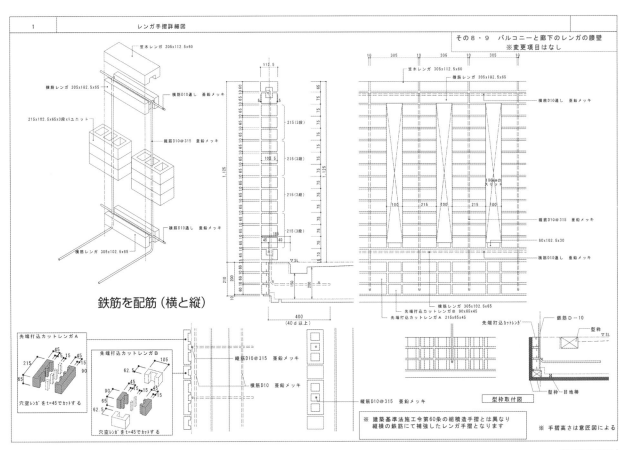

鉄筋を配筋（横と縦）

レンガには孔が空いており、孔は亜鉛ドブ漬けの鉄筋とコンクリートで強固に固めています。

1. 下端筋用のレンガの横筋を入れる

2. 3つのれんがを1ユニットとし、鉄筋を挿入

3. 天端の横筋を入れる

4. 笠木レンガを積む

3. 足場をかける大規模修繕は50年毎に行う〈全面サッシュ〉

3-(4) バルコニー側は小壁をなくし全面サッシュにする

バルコニー側のサッシュは、柱と柱の間にコンクリートの壁がない「オールサッシュ」となっています。そのため、障子の位置を自由に変更できます。

南側は「全面」サッシュ

サッシュの取り付けはドライ工法（乾式）

【特許取得済み】

3-(5) エネルギー系統をトリプル壁にまとめる

バルコニー側のサッシュの一部は、給湯室外機やスロップシンクを取り付けるための「トリプル壁」になっています。

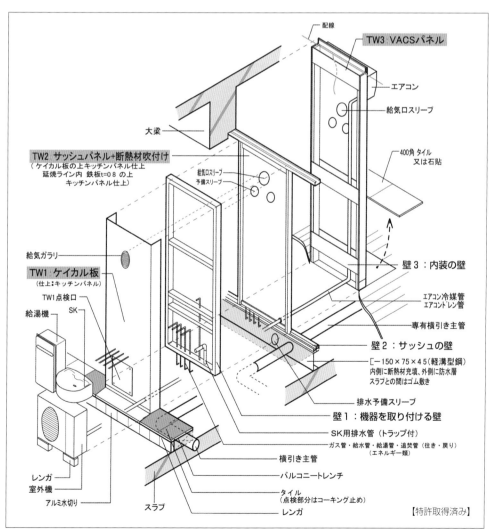

【特許取得済み】

柱間が全てサッシュ、黄色の枠が「トリプル壁」　【特許取得済み】

トリプル壁の下部で配管が通る孔

貫通孔は防水層でカバーしている

排水管はバルコニーの竪管につながる

トリプル壁に室外機やシンクを設置

トリプル壁の外側（室外機やシンク）

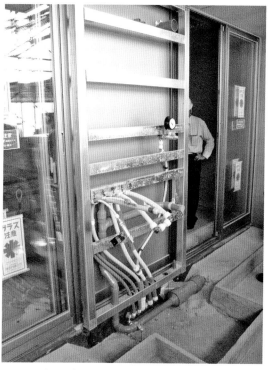

トリプル壁の内側（内部に配管配線）

窓の配置を自由に変えられ、住戸内の横引管の変更も可能

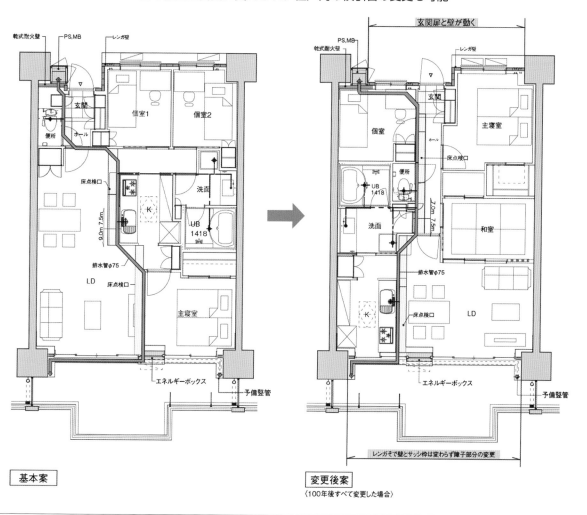

基本案

変更後案
〈100年後すべて変更した場合〉

4. 建物の使用が300年という時間の変化に対応できるような自由性を高める
〈専有部内の配管〉

4 -(3) 間取りはそのままで設備配管が更新できる

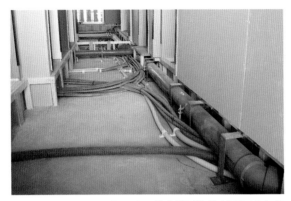

間仕切り壁の下に、住戸内の排水横引主管が配置される

間仕切り壁を支える金物

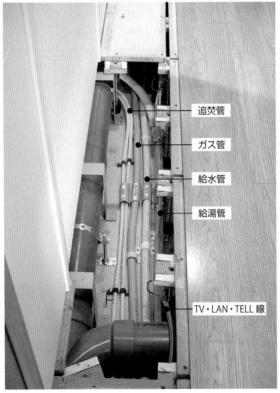

- 追焚管
- ガス管
- 給水管
- 給湯管
- TV・LAN・TELL 線

間仕切り下の住戸内の横引主管の近くには
給水管・ガス管・電線などがある

床の下地材も予めカットされており、床材を壊す
ことなく、下部の配管配線にアクセスできる

室内側の横引き排水管の
切り替え

PS内の排水竪管と横引き主管の接続。
床下地も外せる構造になっている

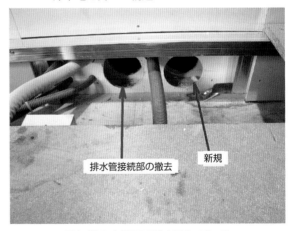

排水管接続部の撤去　　新規

50年後の交換用の孔が空いている

【特許取得済み】

4. 建物の使用が300年という時間の変化に対応できるような自由性を高める

〈間仕切り壁〉

4-(6) 更新・変更の際は、材料を再利用できる（VACS 間仕切りパネル）

　室内に小梁がないと天井高は一定になります。VACS 間仕切りパネルは幅45cm 程度で軽く、精度も家具並みなので、並べることで簡便に間仕切り壁をつくることができます。また、VACSパネルの内部には配線できる空間があり、スイッチやコンセント位置には予め孔が空いています。　　　　　　　　　　　　　　【特許取得済み】

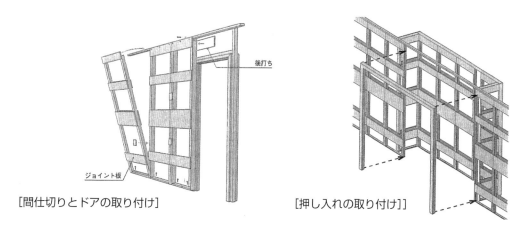

[間仕切りとドアの取り付け]　　　　　　　　　[押し入れの取り付け]]

　室内の大工仕事で時間がかかるのが収納部です。VACSパネルを使うと、簡単に収納部を形成することができます。

5. 住みながら工事を行うことができる

5-(1) 内装を壊さずに住みながら専有部分の設備の取り替えができる

天井の点検口は大きく開けることができる

電線は色によって、スイッチやコンセントなど、
種別がわかるようになっている

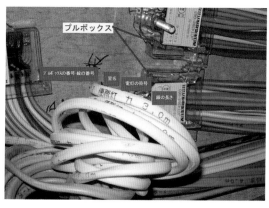

配線には、プルボックスの番号や、室名、
電灯の符号、線の長さがプリントされてお
り、簡単に判別できるようになっている

6. 改修費は積立金内で収める

6-(1) 100年間の改修費を新築の60%以下に収める

修繕費が少なくて済みます。グラフでは100年目の改修費も含んでいます。

100年間の修繕費の合計は、新築工事費の60%を目標としています。

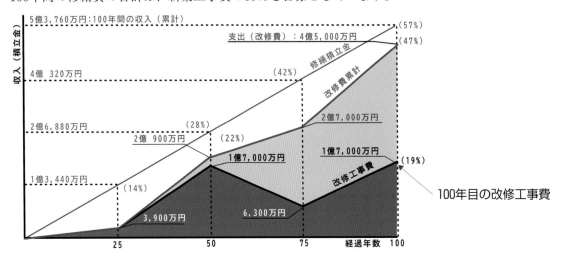

100年使えるので、30年住んだ後は、70年貸せます。

100年間の修繕費を新築の60%と想定し、この修繕費を差し引いても、100年で6,600万円の収入になります。

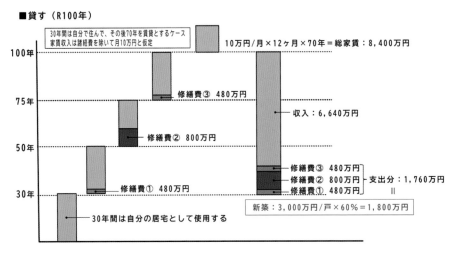

300年住宅は長期にわたり、高い資産価値を保全できます。50年毎の大規模修繕を繰り返すことで、100年目の資産価値が新築の60%になることを資産保全の目標としています。

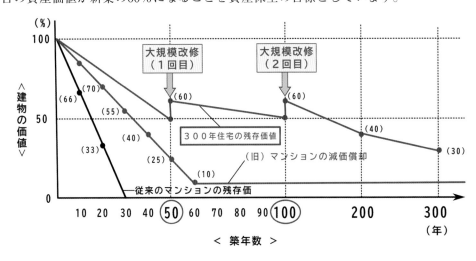

■当社が保有する特許と商標の一覧

No.	特許番号	発明の名称	請求項の数	出願番号
45	－	赤字国債を消す方法（赤字国債と建設国債の交換）	1	特願2022－132191
44	－	老朽化したマンションを無料で建て替える方法	1	特願2016－245161
43	6727527	太陽電池モジュール（回転・スライドパネル）	2	特願2016－221622
42	6377503	空中ワイヤによる太陽光発電設備	8	特願2014－236459
41	6345449	田畑間移設用太陽光発電設備（地上ワイヤー）	5	特願2013－050424
40	6422758	田畑間移設用太陽光発電設備（ポリタンク）	5	特願2014－249802
39	6239349	木造建物の構造及びそれを用いた木造家屋（メゾネットハウス）	5	特願2013－238136
38	6049254	お風呂シャワー用コンテナ	3	特願2011－265556
37	5922916	トイレ用コンテナ	4	特願2011－265555
36	5420357	集合住宅における複層屋上防水構造及び集合住宅	5	特願2009－212998
35	5079748	集合住宅において共用設備のメンテナンス及び更新が容易な地下トレンチ構造及びそれを用いる集合住宅（外配管）	5	特願2009－160721
34	5231338	レンガパネル壁の構築方法	7	特願2009－136221
33	5323576	多機能サッシュ（オールサッシュ＋トリプル壁）	7	特願2009－106209
32	5528851	竪管配管設備構造及びその構築方法（PS/MB）	6	特願2010－042172
31	4959459	階層目地の防水（水切り金物含む）	5	特願2007－197430
30	3476748	間仕切壁の構築方法及び間仕切壁（床下配管型）	1	特願2000－174694
29	3328252	低位壁（レンガ）	1	特願平11－351432
28	3377972	クローゼットの構築方法	1	特願平11－351431
27	3525075	集合住宅の床下設備施工方法	1	特願平11－139709
26	3342431	バルコニー	4	特願平11－042620
25	2929290	組立デッキ	3	特願平10－194845
24	2902635	塀の構築方法	2	特願平10－157982
23	2959715	ロフト付き室内空間の構成方法	4	特願平10－157983
22	2955631	テーブル	1	特願平10－134627
21	2887135	屋外床構造	5	特願平10－106941
20	2955629	ベッドの製造方法	2	特願平10－088190
19	3086672	デッキパネル	5	特願平09－273813
18	2936508	プランターボックス及びプランター装置	6	特願平09－220920
17	2912276	鋼製建具の設置方法及びそれに使用する設置金具	3	特願平08－342700
16	3085906	浴槽水再利用装置および水洗便所ユニット	3	特願平08－140793
15	2792837	鉄筋コンクリート造建築物における多柱構造	4	特願平07－303673
14	2786412	コンクリート建築物の外装パネル被覆構造及び外装パネルの製造方法並びに被覆施工方法	5	特願平07－291895
13	2839860	防水パン	2	特願平07－180900
12	2915322	集合住宅用排水方法及びその設備並びにそれに使用する貯留槽	4	特願平07－125951
11	2792832	持出し棚取付け用壁の構築方法並びに持出し棚取付け用壁および該壁を形成するパネル	4	特願平07－068568
10	2839844	間仕切壁の構築方法及び間仕切壁用下地パネル	6	特願平06－232290
9	2704498	集合住宅のメータボックス形成方法およびメータボックス用ユニット並びにその使用方法	5	特願平06－171671
8	2866807	集合住宅の配管方法および胴縁並びにパイプシャフト	4	特願平06－173757
7	2792821	共同住宅の居住空間構成方法および共同住宅	8	特願平06－060652
6	2882744	内外壁面仕上げ用部材同時施工のコンクリート型枠パネル及びセパレータ（プラスティック壁型枠）	9	特願平06－013406
5	2114499	コンクリート基礎構築方法及びコンクリート基礎のフーチング部型枠用ケーシング並びに地中梁部型枠用パネル	7	特願平05－266198
4	2567805	多格子梁用成形型枠及びこの成形型枠を使用した多格子スラブの構築方法並びにこの構築方法に使用する平行バタ角材の固定治具	6	特願平05－252347
3	2696196	骨組枠形成用ジョイント、セパレータ、骨組枠形成用ジョイントを使用したコンクリート型枠兼用パネル及びボックス型ユニット並びにコンクリート造建築物の構築方法	2	特願平05－187517
2	－	ハッピーリタイアコミュニティの構築方法（生命保険を使ったシルバータウンのつくりかた）	1	特願平02－272780
1	1835933	接着剤を封入したダボおよびそのダボを用いた木造建築構法	5	特願平01－272482

No.	登録番号	商　標	区分（類）
6	登録5661541	米と発電の二毛作	36　37　42
5	登録5633679	メゾネットライフ	36　37　42
4	登録4789686	SEFL（セフル）	20　36
3	登録4341008	アトリエアパートメント	36
2	登録4310518	インフィル　INFILL	20　36
1	登録3323662	300年住宅	36

300年住宅のつくり方
「フクニチ住宅新聞」連載記事

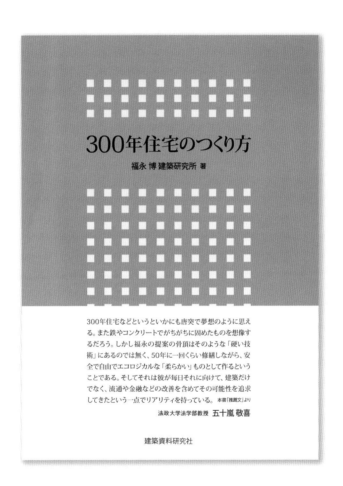

マンション問題を「解決」するために、技術面では、
100年以上住むことができる建物をつくることが必要です。

この節は、2020年に福岡市の「フクニチ住宅新聞」に連載された内容です。

記事の内容をもっと知りたい方は

書籍『300年住宅のつくり方』（建築資料研究社）をご参照下さい。

Amazon の電子書籍（kindle 版）でご覧いただけます。

「VACS工法」については、書籍『300年住宅』（日経 BP 社）にも一部掲載しています。

使う人・住む人の立場で

300年住宅のつくり方（1）

① 安全性
1 考え方
② 自由姓 ③ エコロジー

④ 技術開発
2 方法
⑤ 市場形成 ⑥ 金融補助

⑦ 生活保全
3 結果
⑧ 資産形成 ⑨ 都市環境

マンション長命化の考え方「3つの軸で9つの指標」

■時代は長命化へ

　土地から建物に価値をおき、例えば100年以上保つ長期資産とする考え方に変わる時が来ています。これまで、長期優良住宅先導的モデル事業などを通して、実際に300年住宅や長期耐久型マンションをつくってきました。最初は実例がなく、誰も新しいことに取り組まなかったので、自らが事業主となって300年住宅「アトリエ平和台」をつくりました。工事はやったことがないので、い

長期優良住宅先導的モデル事業
ブライトサンリヤン別府シールズ
（2011年）

くら掛かるのかわからず、掛かっただけ費用を支払うなど、多くの時間や費用を研究開発に費やしました。本コラムでは、このような経験と実施例を基にした、長命化の考え方や技術を、拙著『300年住宅のつくり方』で発表した内容を要約してお伝えしたいと考えています。

■「3つの軸と9つのテーマ」でまとめる

　長命化の要素を、「3つの軸と9つのテーマ」にまとめています。広い分野にわたるため、「考え方」と「方法」と「成果」の3軸で構成しています。そして「人々の生命と財産を守る」という建築の使命と目的に対して、「考え方」を示し、その実現の「方法」を提案し、社会ストックとして成立した時の具体的な「成果」を予測するという、段階を追って展開しています。3軸には各3つ、合計9つの指標が設定されています。単なる100年間住める技術開発ではありません。方法により必然性が導かれます。結果として生活保全が図れるよう、つくる時は、生活環境だけでなく、つくる時の土や木のことまで配慮が必要になります。建築家は日常の仕事として、まだ存在していない建物を頭の中でイメージしています。こうあるべきだという"ビジョン"を想定して、それを

実現するためには何が必要かを考えます。300年住宅の開発の"ビジョン"は9つの項目から導き出しています。

■美しく住む権利

　法律家の五十嵐敬喜先生（法政大学法学部名誉教授）は、「美しい都市に住む権利」を憲法で定める必要があると述べられています。長く保つ建物は街並みを形成する大きな要素になります。そして環境への負荷が少なくエコロジーの面でも大きな貢献となります。美しい街があり、安心して暮らせる住宅があり、その結果、豊かな暮らしを通して文化が花開く都市空間を持てる事が、今後の日本に必要な投資すべき方向性だと思います。

■老朽マンションを100年マンションにする

　また、今まで論議されていませんが、老朽化が進んでいくマンションを、「100年型マンション」として建て替えるという目標を定めて、マンションが社会資本となるような提案をします。本で「300年住宅」のつくり方を公開して、実際に実現できたことを伝えました。それに倣い、世の中で技術的な方向性ができて、安心して住み続けられる建物となる技術の開発が進むことを願っています。100年マンションが社会で認知されることで生活は大きく変わります。

　次回は、3つの軸の「考え方」の内、安全性について、話をします。

300年住宅
アトリエ平和台
（1999年）

使う人・住む人の立場で
300年住宅のつくり方（2）

今回は、建物の安全性の話です。

■安全性

建築には、自然災害からの安全性と資産の安全性の2つの側面があります。本稿では"資産の安全性"を最も重要な要素として提案します。現在の評価では、50年を過ぎた建物の評価価値はほとんどありませんが、300年住宅では、今までのような価値基準ではなく、築50年後にその時点で新築価格の50％程度には値が付く建物を造ることを目標としています。更に共用設備の取替が済めば60％に上がり、100年目で繰り返し、300年目の40％に向けて緩やか線を描きます（下グラフ）。

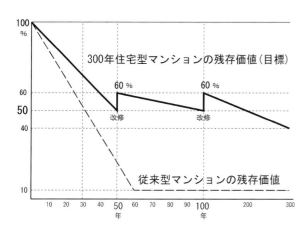

そのために、まず100年にわたって資産価値があるということを決めて、その目標に向かって進みます。

長命化をテーマとした時に、物理的な保全対策に注目しがちですが、"資産"ということに目を向け、「価値」を維持できるように、新築時から配慮することが重要です。

"資産の安全性"としては、①住み続けられる、②貸すことができる、③売ることができる、の3点を価値の評価基準とし、わかりやすい目標としています。

①住み続けられる

300年住宅は一般的なマンションに比べ10％程度建設費が高くなっていますが、一般的なマンションに比べ修繕費があまりかからない造りになっています。長命化の技術を導入することで、建物の外部に足場を架けることを50年毎とし、改修箇所が減少した効果により、従来15〜20年で足場を架けるところを50年に延長します。その他の材料も50年目に交換するように合わせます。いままでと違う事は、50年毎に共用の配管配線を全て取り替え、新しくします。このようにすることで、資産価値は減少せず、100年の目標に向けて、安心安全に住むことができます。

②貸すことができる

住居は、家賃収入があってはじめて、現金を生む資産となります。しかし、古くなると、家賃が下がるので、専有部分のリフォームを行います。300年住宅は、利用期間が現在の60年から100年に伸び、伸びた100年−60年＝40年間で約5,000万円多く、現金収入を得られます。100年にわたって貸家を保持しようと考える方は、30、75年目は傷んだところだけ補修し、50年目は共用設備を全て新しくして、専用部分の内装、設備、住設器具などのインフィルをスケルトンに戻しすべてを新しくして次の50〜100年に備えます。

③売ることができる

マンションの評価の基準は明確ではありません。そこで「300年住宅」としての独自の買取機構を提案します。基本となるのは、前述した「300年住宅」独自の建物価値評価基準です。なぜこれほどの高い評価ができるのかというと、これは初めの評価（買取基準）価格が50年で60％と高いことから生まれます。時間が経過した建物の評価基準を明確にし、売却できる長期市場をつくることで、必要なときに換金できる仕組みを作ることができれば資産価値は保全されるのです。そのため長命化の基準をクリアしている建物については、独自の認定マークを付与することで差別化・明確化を図る必要があります。それによって、「300年住宅」を換金できる仕組みが生まれます。

資産の安全性を担保「住み続ける・貸せる・売却できる」

300年住宅のつくり方

300年住宅のつくり方（3）

① 安全性
1 考え方
② 自由姓
③ エコロジー

④ 技術開発
2 方法
⑤ 市場形成
⑥ 金融補助

⑦ 生活保全
3 結果
⑧ 資産形成
⑨ 都市環境

今回は、空間の自由性の話です。

■空間の自由性

「空間の自由性」で取り組むべきことは、まずは個性を自由に表現するためのフラットでシンプルなスケルトンの空間です。自由を阻害するのは、室内に張り出す大きな柱、天井の小梁、特に固定された水廻りです。まずは、これらの阻害要因を取り除くことを目標とします。

①小梁を無くす（多格子梁）

小梁をなくす方法として、ワッフルスラブを提案しました。900角に小梁を格子状に配することで、大きな小梁をなくし、

ワッフルスラブ【特許取得済み】

天井が平らになります。プラスティック型枠は光を透過するので、明るくなります。又、4方向交差トラス配筋を用います。

②ガーデンルーム

今では多くのマンションで採用されている奥行きが2〜4m以上のバルコニーが、「ガーデンルーム」です。いままでのマンションにはない、大きな半屋外生活空間としてガーデンルーム文化を形成しつつあります。しかし、特許「ガーデンルーム」を開発したもう一つの目的は「増築」への対応でした。都市計画が変更になった時、増築する面積に対応できるように、この自由なスペースを設けました。

③外配管にする、次にトレンチ・洞道につなげる

設備の竪配管を専有部分の外につくることを「外配管」といいます。一般的なマンションは、専有部の中に竪管が3本程度あります（これを「内配管」と呼びます）。内配管は、水廻り設備の配置が制限され、空間の自由な変更を難しくしています。また、専有部の中に、

専有部を貫いて共用の竪管があるといういびつな構造になっており、共用配管が専有部を貫通しているため、取替は大変な工事になります。床高や階高に影響しますが、「横引き主管」や段差スラブなどの方法を用いることで、現在はコストアップせずに、共用の竪管を共用部に設ける「外配管」工法を実現しています。外配管は、マンションを100年以上保たせる為の、最も重要になる仕組みです。共用設備配管を50年毎に全て取り替えることで、マンションを自由に、長期にわたって使うことができます。

「外配管方式」は、今後の回で述べるマンションの未来形である人工地盤の土地でも欠かせない重要な基盤となる要素になります。

自由性の最重要ポイントは「外配管」にして50年毎に全て取り替ること

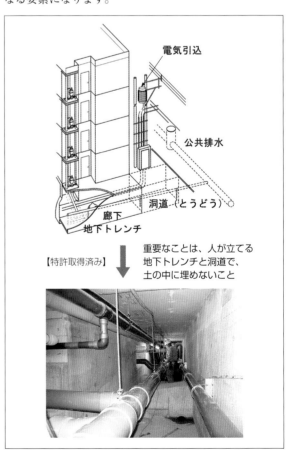

電気引込
公共排水
洞道（とうどう）
廊下
地下トレンチ

【特許取得済み】

重要なことは、人が立てる地下トレンチと洞道で、土の中に埋めないこと

使う人・住む人の立場で

300年住宅のつくり方（4）

- ① 安全性
- 1 考え方
- ② 自由姓
- ③ エコロジー

- ④ 技術開発
- 2 方法
- ⑤ 市場形成
- ⑥ 金融補助

- ⑦ 生活保全
- 3 結果
- ⑧ 資産形成
- ⑨ 都市環境

前回は「外配管」の重要性について説明しました。今回は、パイプシャフト、PCプレート、設備の取替、横引き主管についてお話しします。

①共用配管を50年毎に取り替える

近年、材料も進化しており、共用設備の全ての配管配線を50年毎に取り替えることを提案しています。50年という周期はポリエチレン製の水道管や排水管の塩化ビニル管の耐用年数60年を目安に設定しました。

②取り外すことができるパイプシャフトとメーターBOX

300年住宅では、PS/MBをフレームや鋼製建具でシステムとしてつくり、更新の際には取り外すことができるようにしています。配管類がスケルトンになるので、レンチも回せ、更新作業をスムーズに行うことができます。シャフトの大きさは柱と梁のサイズの差内に収まるようになっています。

建具を外したPS

③専有部に入らないでパズルのように配管類を更新する

PCプレートには、1つ余分に孔が開いています。50年後の配管配線の更新時に、この孔を使って、パズルのように新旧の配管を設置・撤去を繰り返すことで、簡単に設備の竪管を交換できます。全国で例を見ませんが、はじめから共用配管の更新を設計に入れます。

④共用竪管の更新手順

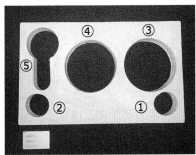

PCプレート【特許取得済】

まず、仮設の給水竪管を④に設置して、古い水道竪管①を撤去します。撤去でできた孔①に、新しいガスの竪管を①に通します。次に古いガス管②を撤去したら、その後に新しい水道本管を②に立てます。次に、最初に建てた水道仮設管④を撤去し、新しい排水竪管を④に設置します。電気の幹線も、⑤の孔を使って新しい幹線を設置した後に更新します。

また、住戸内横引き主管と外部に設置した新しい排水竪管のつなぎ替えを行います。下の住戸から順番に更新していきますが、上の住戸は既存の排水竪管③を使っていますので問題ありません。縦列の全ての住戸の排水管のつなぎ替えが終わった後、既存の排水竪管③を撤去します。

※当社のHPで更新手順のスライドを視聴できます。
　http://www.fari.co.jp（右下の連動記事をクリック）

⑤精度が高い配管用PCプレートを用いる

PS内には、給水竪管、排水竪管、ガスなどの本管、電機幹線や各種メーター類が収容されています。これらをコンパクトに精度良く収容する為に、プレキャストコンクリート製（PC）プレートを開発しました（左下の写真）。精度が高く、配管の設置も系統立てて行うことができます。

⑥住戸内専有部の横引き主管

住戸内専有部に共用竪管を設けない＝「外配管」に接続するために、住戸内に「横引き主管」を設置します。キッチンや洗面所、お風呂やトイレからの排水は、この「横引き主管」に接続されて、廊下などのPS内の共用竪管に導かれます。特にお風呂はトラップの高さに支配されます。また、トイレは節水型で水量が少なくなっています。メーカーは製品を独自に開発しますが、建築全体でどうあるべきかという視点がないため、建物は"従"となり、その製品を使わざるを得ず、問題を解決できません。必然的に、専有内に共用の竪管をつくることになります。そこで300年住宅では、流れにくい要因を解決するために、トイレをお風呂の下流側に接続して、お風呂の排水を活用します。結果、床高25cm以内として、径100mmの「横引き主管」を1/100勾配で設置することで、住戸内8ｍの範囲でどこにでも水廻り設備を配置することが可能になります。

建物が100年以上利用でき、設備の配管が更新しやすい仕組みになると、マンションは立体的な人工の土地であり、PSは戸建て住宅の前の道路の下にある排水管や電線と同じことになります。次回は、マンションの究極型ともいえる「人工地盤」の考え方を話します。

資産価値を一気に高めるのは、50年目に全ての共用配管配線を取り替えできること

300年住宅のつくり方（5）

- ① 安全性
- 1 考え方
- ② 自由姓
- ③ エコロジー

- ④ 技術開発
- 2 方法
- ⑤ 市場形成
- ⑥ 金融補助

- ⑦ 生活保全
- 3 結果
- ⑧ 資産形成
- ⑨ 都市環境

今回は、時間の自由性の話です。マンションが100年以上使え、設備配管のメンテナンスや更新が容易になれば、マンションは「人工地盤＝土地」になります。

①人工地盤で「時間の自由性」を実現する

"空間の自由性"に加えて、"時間の自由性"を新しく提案します。マンションを多層階からなる人工の土地と考えます。そして、土地を購入する感覚で、「○階の○号室の土地（スケルトン空間）」を購入し、その後、室内を造ります。内装が無い状態でのリフォームをイメージすると分かり易いかもしれません。廊下側とバルコニー側で共用部の区分けは必要です。下の写真は、バルコニー側を全て開口し、サッシュで構成しています。その為、窓の配置や組み合わせも自由になります。中央左側のパネル部分は設備関係を収容するトリプル壁になります（トリプル壁については技術開発の稿で説明します）。

バルコニー側の全開口オールサッシュ【特許取得済】

廊下側もレンガやサッシュでつくると、後から玄関などの開口部も変更できます。但し、このコラムで繰り返し述べていますが、これを可能にするためには、「外配管」が不可欠です。国土交通省も「スケルトン分譲住宅」として研究を重ねており、「居宅（未内装）」として登記も可能になりました。登記ができるので、住宅ローンも可能です。躯体の状態で購入し、後からでも内装をつくれるので、"時間の自由性"を実現できます。竪管に縛られることなくキッチン・風呂・トイレなどの水廻り設備も自由に配置できます。上から下まで同じプランでなくて良くなります。世代が変わっても、ライフスタイルが変わっても、柔軟に対応できるので、100年以上の時間にわたって自由を確保できます。

■空間と時間の自由

100年以上の耐久性と共用配管の取替が進めば、"空間と時間"に対して、マンションは自由を得ることができます。

パブリックな上下水道やガスの管理は公共に移管する。スケルトンで分譲、室内は後からつくる

建物本体が100年以上使え、水道管や排水管・ガス管といったライフラインが専有部分から外に出て共用部分に立てられると、マンションは立体的な人工地盤になります。すると、共用部のライフラインは戸建ての前の道路の下の配管と同じ位置づけになります。

②パブリックとセミパブリックとプライベート

マンションの建物を「パブリック（共用）、セミパブリック、インフィル」の3つに区分したうえで、共用竪管などのパブリック部分については各エネルギー供給会社（水道局や電力・ガス会社）に移管し、それぞれの組織に管理を委託することを提案します。共用設備の配管配線の管理・更新が公的な機関によって行なわれれば、安心してマンションに住むことができます。躯体などの共用部分はセミパブリック部分とし、これまでどおり管理組合で管理・保全しますが、大規模改修時に外部足場を50年間架けなくてもよくなれば、修繕積立金も少なくてすみます。パブリックやセミパブリック部分が保全され、プライベート部分の自由性が高まれば、マンションは100年以上使えるようになり、資産価値は長期的に保全されます。このように「空間と時間の自由性」が高まれば、建物を長期的に使え、且つ、時代によって柔軟に適応させることができるので、建物の価値＝経済性が高くなります。100年以上建物を利用できると毎世代で支出していた住居費が不要になり、その分の支出は社会的・文化的支出にまわされ、生活が豊かになり、本当の意味でマンションが「終の棲家」となると確信しています。

- スケルトン
- スケルトン
- スケルトン
- エントランス
- 駐車場

スケルトン分譲のイメージ

300年住宅のつくり方（6）

■建築時のエコロジー

　建築は莫大な資源を使い、膨大な廃棄物を出す産業ですが、環境問題に対する取り組みが遅々として進みません。日々建築に携わる中で、常々疑問に感じているところから解決策を探ってゆきます。たとえば、地下室を作るわけでもないのに、なぜ基礎工事だけのために大きな穴を掘るのか、コンクリートの型枠になぜ水に弱い木材を使っているのか。

①石膏ボードでコンクリートを打設する

　型枠材料となる材料は、南方のインドネシア、フィリピンから大量に輸入するため、環境を破壊していると言われました。そのため、北方の針葉樹を20%ほどまじえて、いまも大量に作られています。コンパネは平均7回使用して廃棄されます。コンクリートの材料であるセメントは、強アルカリ性なので、木材の痛みが激しいためです。また、型枠にはセパレーターを取り付ける孔がコンパネ1枚あたり6カ所ほど空けられており、これもコンパネの再使用を妨げる要因になっています。300年住宅では、このセパレーターの問題を解決するために、レールセパレータと呼ぶハシゴ状のセパレーターを開発し、型枠に孔を空けずにコンクリートを打つことができるようにしました。そして、ベニヤを使わない型枠として石膏ボードを使用します。「石膏ボードでコンクリートを打ちます」というと、100%「それはムリです」という答えが返ってきます。ベニヤの耐力と石膏ボードの耐力を一瞬のうちに頭で比較するからです。現場を知っている人ほど、そう答えるでしょう。この点も問題なくクリアできます。石膏ボードは、コンクリートが固まるとそのまま内装の下地材として利用し、その上にクロスを貼ったり、塗装したりすることができます。肝心の強度ですが、さすがに石膏ボードではムリなので、補強にプラスティックの型枠を作りました。プラス

ティックの材料には、ペットボトル等の再生材を使います。

②現場から土を出さない

　基礎を造るために、敷地の土を取り除くのですが、この基礎の型枠や鉄筋を組むために取り除く余分な土は、なんとほぼ1階分の高さに匹敵するのです。そこで、地中梁の分だけ土を取り除く工法を開発しました。土を掘りながらも土圧を防ぐ潜函工法で、土圧とコンクリートを打つ型枠を一体化して目的を分けて作ります。そして、切梁を入れて、土の圧力を均等化しました。方法は、切梁をセパレーターとしたことがポイントでした。これなら、地上で鉄筋を組み、下に降ろして配筋して、コンクリートを打設するので、地中梁のコンクリート量だけの土しか出ません。さらに、出た土は敷地のかさ上げに使い、できるだけ現場で処理することを目的としています。

鉄筋を陸組みして降ろす潜函工法【特許取得済】

③建設業の現場に求められる世界水準

　1997年にトヨタ自動車は"環境問題にシフトしないと我々に明日はない"と宣言し、ハイブリッドカーを世に送り出しました。いまや環境問題がニュースにならない日はありません。技術開発、現場管理など、もの作りの一断面に関しては世界の先端にあると思われます。しかし建築業界は多くの点で遅れをとっています。一つは生産の一貫性、もう一つは、生産・販売・保守管理といった建築を永続的にマネジメントする流れの一貫性においてです。消費者を常に意識したメーカーとしての体制が整っておらず、責任の所在があいまいです。自動車業界のように、あるいは家電業界のように、「消費者のニーズを汲み取る」、「ニーズを先取りした商品開発を行う」、「グローバルな仕組みでコストダウンと品質アップを行う」、「アフターサービスの体制を整える」、このような一貫したメンテナンスがしやすい体制が必要と考えます。

石膏ボードでコンクリートを打設してコンパネを減らす。現場から外に土を出さない潜函工法

左：壁型枠工事
右：型枠＋石膏ボード＋断熱材【特許取得済】

使う人・住む人の立場で
300年住宅のつくり方（7）

① 安全性
1 考え方
② 自由姓　③ エコロジー

④ 技術開発
2 方法
⑤ 市場形成　⑥ 金融補助

⑦ 生活保全
3 結果
⑧ 資産形成　⑨ 都市環境

今回は「技術開発」です。300年住宅の話しをすると、必ずお金と客のオーダーがないといわれます。デベロッパーを話に巻き込む為には、長命化のお金を生むために、コストダウンの必要性を痛切に感じました。まず、当社が設計した建物の工事費のデータ分析から始め、毎週1回の施工研究会を3年間続け、「バックス（VACS）」と名付けました。VACSとはコストを抑えながら付加価値を高めることを意味しており、「プラン」と「工法」に分けて整理します。プランで量を減らし、工法で単価を下げます。

① VACS プラン

「プラン」は、構造コストを削減することを目的としています。特許の3戸1プランは、片廊下型をやめ、内バルコニーを採用し、施工面積を少なくしました。次に採用したのが、南北の逆梁です。両逆梁によって。室内に大梁が無いため階高を抑えることができました。逆梁は、床高と腰壁の高さを合わせてセイの高い大梁になります。

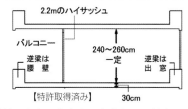
2.2mのハイサッシュ
バルコニー
逆梁は腰壁　240～260cm 一定　逆梁は出窓
【特許取得済み】　30cm

その結果、従来8階建てしかできなかった高さ25m以内で、9階建てを実現できました。また逆梁によって、バルコニー側に2.2mのハイサッシュを使うことができるなど、開放感が良くなりました。

構造を少なくするためには平面プランが重要ですが、住み心地を今までより良くするために考案した3戸1プランは、①吹き抜けとエレベーターと階段と共用廊下をセンターコアとし、②センターコアに対面するセンター住戸と、③その左右にサイド住戸を配置するものです。3戸1型の場合は、センター住戸は南面三室、サイド住戸は角部屋になる為、居住環境が良くなり、売れ残りができにくいプランになりました。当時としては珍しく、プランとしての特許を取得しました。

センターコア
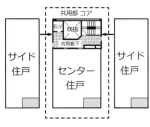
共用部 コア
ELV 階段
共用廊下
サイド住戸　センター住戸　サイド住戸

「プラン」により、①施工面積を少なくする、②南北に逆梁を使う、③階高を下げる、④耐力壁を全て使う、⑤エレベーターや階段やバルコニーを柱間の内側＝構面内に入れることで、重心と剛心が一致して耐震性が向上すると共に、構造三役（鉄筋・型枠・コンクリート）のコストが30％ダウンしました。

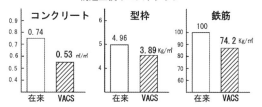
構造三役のコストダウン
コンクリート　0.74　0.53㎥/㎡　在来　VACS
型枠　4.96　3.89Kg/㎡　在来　VACS
鉄筋　100　74.2Kg/㎡　在来　VACS

尚、当時は上のグラフの鉄筋のコスト目標を70kg/㎡と定めて競争を行っていましたが、現在は方法が変わった為、180kg/㎡程度になっています。

② VACS（バックス）工法

「工法」は、基礎や型枠などの「転用回数を飛躍的に伸ばす躯体に関する工法」、省力化と施工スピードを上げる「間仕切りや収納などの内装に関する工法」、工数を減らす「メーターボックスやスイッチなどの設備に関する工法」などがあります。以前ご紹介した、ワッフルスラブや石膏ボードに断熱材を合わせて造る壁のプラスティック型枠を使用すると、転用回数が10倍に伸びるため、型枠の単価を低減できます。内装は、予め工場で製作した1種類の間仕切りパネルで壁はもちろん、大工が最も時間が掛かっていたクローゼットなどの収納部を正確でスピーディーに構築でき、大工の工数が劇的に減少しました。このように工法で作業効率や生産性を高めることができました。

MB 先行工法【特許取得済】

VACS 間仕切りパネル【特許取得済】

間仕切り壁

収納部

「VACS」で工法や平面プランなどを研究開発した結果、コストダウンを行うことができ、そのお金を長命化の為の追加コストに使います。

長命化は、初めにコストダウン。工法とプランの発明・VACS（バックス）により行う

使う人・住む人の立場で

300年住宅のつくり方（8）

①安全性
1 考え方
②自由姓 ③エコロジー

④技術開発
2 方法
⑤市場形成 ⑥金融補助

⑦生活保全
3 結果
⑧資産形成 ⑨都市環境

300年住宅のつくり方

長命化はSEFL（セフル）の四分野。六つの基本方針を実現するための技術を開発する

今回はセフル（SEFL）について話します。SEFLとは、永く住めるマンション「300年住宅」のコンセプトフレームです。S＝Safety（安全性）、E＝Ecology（エコロジー）、F＝Freedom（自由性）、L＝Long life（ロングライフ）を意味しています。4つの項目にしたがって、100年を超す時間に保つための技術を開発します。セフルのコンセプトに沿って、今までにはなかった必要とする技術開発を直感的に行っていきました。6項目に大別して考えると、時間の把握が見えてきました。

■300年住宅のアプローチ

300年住宅を考えるにあたって、30年前の出発時の目標は初め3つの項目にしたがって進んできました。それは(1)頑丈な躯体をつくる、(2)自由な内部空間、(3)設備の取替、です、これを合い言葉に進んできました。全体像が見えてから目標を更に明らかにすると、SEFLは300年住宅の代名詞になり、より広範な範囲の考えをおさえて見通しをつけてきました。6項目は、どこに重点を置けば良いのかの判断です。足場を架ける修理を50年目と決めることで、大規模改修の回数が少なくなり、圧倒的に経済性が有利になりました。

(1)頑丈な躯体をつくる

①構造の強度を1.25倍にする、②コンクリートのかぶり厚を40mmにする、③外装材をレンガや剥離しないタイルでつくる

(2)共用の設備配管を50年毎に全て更新する

①竪管を外配管にする、②シャフトボックスを車のようにボンネット化して更新を簡便にする、③横引き管は、人が入って工事ができる地下トレンチにする

(3)足場をかける大規模修繕は50年毎に行う

①陸屋根を二重防水として、100年目に上下の防水層を全面交換する、②階層目地に水切り・ゴム・シールを設けて50年間漏水を防ぐ、③バルコニー・廊下側の腰壁をメンテナンスフリーのレンガにする、④バルコニー側は小壁をなくし全面サッシにする、⑤エネルギー系統をトリプル壁にまとめる、⑥廊下側の壁をレンガでつくり、長命化と再利用を図る、⑦妻壁をレンガにしてメンテナンスフリーにする、⑧剥離しない打込みタイルを使う

(4)建物の使用が300年という時間の変化に対応できるような自由性を高める

①外配管とし、また小梁のないフラットな天井にする、②間取り変更に応じて設備配管が変更できる、③間取りは

そのままで設備配管を更新できる、④バルコニー側サッシュが間取りに応じて柔軟に可変できる、⑤廊下側の壁・開口が取替・変更できる、⑥更新・変更の際は、材料を再利用できる

(5)住みながら工事を行うことができる

①内装を壊さずに住みながら専有部分の設備の取替ができる、②共用設備の更新は専有部内に入らず工事ができる、

(6)改修費は積立金内で収める

①100年間の改修費を新築の60%以下に収める、②マンションの一番良い点は、みんなで修理費を公平に負担すること、③修繕積立金の収入は8,000円／月・戸以内に収める。この金額で収まる建物をつくる

■長期優良住宅先導的モデル事業

この事業は、「いいものをつくってきちんと手入れして長く大切に使う」というストック社会の住宅のあり方について、具体の内容をモデルの形で広く国民に提示し、技術の進展に資するとともに普及啓発を図ることを目的としています。当社は平成21年度に応募し、4棟223戸が採択されました。このコンペの中で、共通の重要な課題は「50年毎に足場を架ける改修を行う」ことと、「共用配管を50年目に全て取り替える外配管の仕組み」をつくりあげたことです。その為、専有部の横引き配管の方法や、第3回で紹介したような建物と道路までの接続の方法の仕組みができました。100年間なにもせずに保つことはできません。重要な判断は、50年目に全ての共用設備配管を住みながら更新すると決めたことです。

左上：ブライトサンリヤン別府シールズ／右上：オーヴィジョン塩原
左下：オーヴィジョン新山口ネクステージ／右下：パーク・サンリヤン博多の森Ⅳ番館

次回から、上記の技術について紹介していきます。

使う人・住む人の立場で
300年住宅のつくり方（9）

① 安全性
1 考え方
② 自由姓　③ エコロジー

④ 技術開発
2 方法
⑤ 市場形成　⑥ 金融補助

⑦ 生活保全
3 結果
⑧ 資産形成　⑨ 都市環境

長命化はSEFL（セフル）の四分野。六つの基本方針を実現するための技術を開発する

今回はSEFLの中でも、特に長命化、L＝Long life（ロングライフ）の技術を紹介します。

①コンクリートのかぶり厚を40mmにする

鉄筋を保護しているコンクリートのかぶり厚を厚くして、コンクリートの中性化が鉄筋まで到達する時間を延ばすことで躯体の長命化を図ります。

②陸屋根を二重防水構造にする

屋根の防水材として多く用いられる「アスファルト防水」は、紫外線や風雨に晒されなければ、100年以上保ちます。そこで、屋上の「アスファルト防水」を二重構造にします。下の防水層は紫外線や風雨に曝されていないので長く保ちます。上の防水層は時間と共に劣化していきますが、下にも防水層があるので漏水しません。100年後に、上下両方の防水層を更新します。

③三重防水階層目地

外壁の打ち継ぎ目地には、シーリング材が多く使用されます。耐用年数も他の建築資材に比べ短いものです。この打ち継ぎ目地のシーリングを取り替えるために仮設足場を架けるのは、修繕工事費を上昇させる大きな原因です。そこで、打継部に①止水板＋②水切りプレート＋③シーリングの三重の防水構造とします。これにより、シーリングの劣化に応じて足場を架ける必要はありません。

30mm（60年）
40mm（100年）
かぶり厚

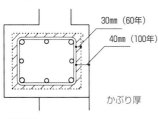
防水層（2層目）
断熱層（2層目）
通水層
二重防水屋根【特許取得済】

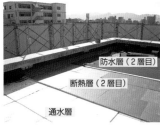
シーリング打ち
三重防水階層目地【特許取得済】

④本物のレンガの腰壁

バルコニー・廊下側の腰壁をメンテナンスフリーのレンガにします。タイルと違い、剥落することはありませんので、足場を架けて補修する必要はありません。但し、レンガは組積造なので建築基準法上では使えません。そこで計算書や実験結果を添付することで可能としました。これまでに1,000戸以上の採用実績があります。

⑤全面サッシュ＋トリプル壁

バルコニー側には小壁がありますが、コンクリートの小壁をなくし全面サッシュにして、エネルギー系統を乾式のトリプル壁にまとめます。これにより、サッシュの組み合わせを後からでも変更できます。

⑥住戸内の配管壁の交換

住戸内の横引き排水主管は、床が開けられる構造になっています。床や壁を壊すことなく、交換できる仕組みになっています。

■3段階のSEFL

長命化の技術は多岐にわたります。したがって、長命化の技術の導入には、レベルによって3段階に分けます。

「第1段階」は、長命化の基本レベルです。①躯体強度1.25倍＋②かぶり厚（実効40mm）＋③外配管＋④屋根の二重防水＋⑤階層目地の水切り＋⑥妻壁ゴンドラがセットになります。「第2段階」は、⑦打ち込みタイル又は⑧レンガの腰壁、⑨全面サッシュを加えたものです。「第3段階」はエコロジーなつくりかたです。⑩専有部内の配管更新ができる床や⑪土を出さない基礎工法、⑫プラスティック型枠まで行います。まずは、「第1段階」から実施していくことが重要です。特に、構造に関することは、後からはできません。

※各技術の詳細は当社のホームページ上の特設コーナーで閲覧できます（http://www.fari.co.jp/）。

レンガの腰壁【特許取得済】

トリプル壁【特許取得済】

全面サッシュの点線内がトリプル壁【特許取得済】

追焚管
ガス管
給水管
給湯管
TV・LAN・TELL線
専有部内の配管の更新が可能な床組み【特許取得済】

使う人・住む人の立場で

300年住宅のつくり方 (10)

① 安全性
1 考え方
② 自由姓
③ エコロジー

④ 技術開発
2 方法
⑤ 市場形成
⑥ 金融補助

⑦ 生活保全
3 結果
⑧ 資産形成
⑨ 都市環境

300年住宅のつくり方

■300年住宅の修繕報告

20年前に建設した300年住宅の第1号「アトリエ平和台」の大規模改修工事についての報告です。当時の300年住宅の技術の粋を集めて造られた建物です。改修にあたって、初めに剥離しないタイルの引っ張り試験を行いました。調査の結果、打ち込みタイルの有効性が確認されました。併せて、二重屋根や階層目地、壁の縦目地も問題がないことが確認できたため、3方向（東・西・南）については足場を架ける必要がないことを達成しました。北側は従来工法のタイル貼りなので足場を架けましたが、3方向の窓廻りのシーリングの打ち替え等はゴンドラで行いました。結果、通常の大規模改修工事に比べ、約40％の費用で済みました。築20年で修繕積立金は積み立てられていましたが、60％も残すことができました。このことから、300年住宅の経済的な優位性が

大規模改修（3面足場なし）

窓廻りのシーリングはゴンドラ

三百年住宅「アトリエ平和台」は積立金が60％残った。長命マンションの市場をつくろう！

証明されました。建物は過去に戻ることはできません。この事例から、長命化を利用したマンションで独自の市場を形成できると考えます。新築で100年住める住宅の「市場」を必要とします。

■100万戸の建て替えから「市場」をつくる

築60年超の日本で最も古い分譲マンションの建て替えが始まりました。分譲マンションのストックが650万戸を超える今、建て替えられたマンションは約260棟とごく僅かです。立地が良いか容積率に余裕があるものでないと、建て替えは中々進みません。建て替え事業として成り立つ物件に限りがあるということです。デベロッパーの意向ではなく、住み手の必然性から建て替えの市場を創ることが、これからの長命化の時代のあり方だと思います。新築をSEFLで造り、建て替えを行います。この先、寿命を迎えるマンションは増加していきます。1981年以前の旧耐震基準の建物は約103万戸あります。この100万戸の市場を今から創るのです。建て替えにあたり、300年住宅SEFLで行うと、土地環境に基づかず、建物の現金化を図れる市場がつくれます。歴史の中で、"金"の裏付けがある紙幣は信用を担保され、交換に役立つようになりました。年金が心配の時代、建物が担保する「金」の役割を果たします。その為には、建物が100年以上保ち、収入を得られるものになる必要があります。100年以上保つマンションは、「金」と同じ担保価値を有することになります。SEFLの中で、「構造」と「設備の取替方法」はあとから造ることはできないので、最小この2つから始めることが「市場」の出発点です。

■老朽化したマンションの建て替え市場

建て替えで最大の問題は、費用を誰が負担するのかです。分譲の場合、居住者も高齢化しており、建て替えの為の追加資金を出すことが難しい状況です。これを解決する革命的な「マンション無料建て替え」の仕組みについて、次回詳しくお話しします。

300年住宅のつくり方（11）

① 安全性　1 考え方　② 自由姓　③ エコロジー

④ 技術開発　2 方法　⑤ 市場形成　⑥ 金融補助

⑦ 生活保全　3 結果　⑧ 資産形成　⑨ 都市環境

100年保つマンションを誰が証明するのか。SEFLマークがついたマンションで証明する

■ SEFL マークで証明して市場をつくる

100年以上の長期に使えるマンション独自の「市場」が必要です。市場で価値があまり下がらないことを特長とする長命マンションは、他の一般的なマンションと区別する必要があります。そこで長命マンションの証として「SEFL マーク」を付与して区別します。「SEFL マーク」があるマンションは、100年間大丈夫なことを証明します。少し強気で一方通行ですが、独自の価値観を共有するマーケットをつくる必要があります。その為には、まず、提供する側が、住まう人が将来困らないこと前提とした考えに変わることから出発します。

■ SEFL マークの要件を満たす技術

SEFL マークを付ける為にしなければならない項目は、①頑丈な躯体、②共用設備配管を50年毎に全て取り替える、③足場を架ける工事は50年毎に行う、④変化に対応できる自由性を高める、⑤住みながら工事ができる、⑥改修費は修繕積立金内に収める、となります。この 6 項目をクリアした建物に「SEFL マーク」が付与されます。

初めにやらなければならない技術的なことは、(イ)構造1.25倍、(ロ)かぶり厚50mm、(ハ)三重水切り、(ニ)共用を全て取り替えできる設備（50年毎）など、最初にしておかないと後で造ることができないものが第 1 段階です。第 2 段階は、住むにあたって大規模修理の50年間足場を架けない為の(ホ)打ち込みタイル、(ヘ)二重屋根でフリーメンテなど、メンテ費用を1/2に持ち込むこと、第 3 段階ではエコロジーなつくり方と、考えられる進み方に合わせています。市場を創るにあたって、新築時に将来の住む人の資産有利を保全すること、平均寿命が90年に近づいた現在、100年マンションの市場を必要としています。

通常のマンションの60年目の残存価値は10％程度で、これに比べ300年住宅の SEFL を採用した長命マンションは60％という格段の高い価値を信じた市場づくりです。そこで、長命化の技術を進歩させ、長命マンションを普及させるためには、「SEFL マーク」の基準を満たす 6 つの技術を採用するマンションに対して、1 戸あたり100万円の補助金を付けると、長命化マンションの普及が進みます。補助金によって、新築マンションで長命化の市場をつくります。

長命化市場の次は、「建て替え」市場づくりです。

■ SEFL による建て替え市場は、交換によりつくる

単に壊してつくる建て替えではなく、今住んでいる老朽マンションの「所有権」と、建て替えた安全なマンションの30年間の「居住権」を交換する手法を提案します。事業主はGPIF（年金積立金管理運用独立行政法人）で、最終的には100万戸を建て替え、大きな大家になります。建て替えの際の一番大きなハードルは「住民の合意」です。住民の合意をスムーズに得るためにはお金がかからないことが重要です。交換という手法と GPIF という「年金」を基盤とする資金で、建て替えを潤滑に行い、国の年金財源についても同時に解決します。これについては「生活保全」のところで詳しくお伝えします。

補助金で技術と市場をつくって安定させ、次の本当の目的である老朽マンションのGPIF（年金積立金管理運用独立行政法人）による100万戸の建て替え市場づくりへ向かいます。

使う人・住む人の立場で
300 年住宅のつくり方 (12)

① 安全性
1 考え方
② 自由姓　③ エコロジー

④ 技術開発
2 方法
⑤ 市場形成　⑥ 金融補助

⑦ 生活保全
3 結果
⑧ 資産形成　⑨ 都市環境

300年住宅のつくり方

■金融補助の創設

300年住宅は長期優良住宅先導的モデル事業の4棟で金融補助を受けました。お金の裏付けができたので研究を実現しました。その報告を、「300年住宅のつくり方」で公開しています。結果を基に、デベロッパーにアプローチを行っていますが、お金が少しでも掛かることは消費者のオーダーがないので実施に至りません。市場は使う人の立場に立って供給すること、又、金融補助の必要性は、長命マンションを実際に実現したけれども、その後、補助金が付かないと動かない現実からスタートしています。今までの補助金の立場を変え、都市の資産づくりの為に必要な投資と考えて、政策を起案・実施することが求められます。300年住宅の実施例を300戸超重ねてきてコストダウンを図りました。数を重ね進歩させています。金融補助は、長命マンションの市場が当たり前となり、消費者に定着する為に必要です。

■新築時の補助金

第1段階のSEFLに掛かる費用は、

①躯体強度1.25倍	＋65万円／戸
②かぶり厚（実効40mm ＋20mm）	＋1万円／戸
③共用配管の取替え（外配管）	＋5万円／戸
④屋根の二重防水	＋10万円／戸
⑤階層目地の水切り	＋3万円／戸
計	＋84万円／戸
⑥SEFL技術使用料	2万円／戸
⑦経費と調整	＋14万円／戸
合計	＋100万円／戸

補助金額は、現時点での建築コストに換算して、1住戸あたり120万円に設定します。補助金を実施することで、新築マンション市場で「長命化マンション」を浸透させ、消費者に認知されることが第

1住戸120万円の補助金で長命マンション市場をつくる。次は「建て替え」の市場が生まれる

1段階です。

■長命化の為の技術開発費

本来であれば、長命化の新しい技術を開発する必要があります。開発には時間とコストが膨大に掛かります。そして、次には検証が必要です。当社では30年以上掛けて、長命化の為の技術開発と検証を行っており、この技術を提供することで、すぐに市場に長命マンションを供給することが可能です。技術開発に要するコストも「SEFL技術使用料」を負担するだけで済みます。

■さらなる長命化へ

長命化で次に解決する課題は「タイルの剥落」です。剥離しないように「打ち込みタイル工法」が必要にな

打ち込みタイル

ります。ベースの120万円／戸に＋30万円／戸追加になります。

第2段階では「建て替え」で100万戸の市場をつくります。1981年以前の旧耐震のマンションは全国で約103万戸あり、築40年を超えました。今、建て替えを促進する法整備や支援制度を準備しないと、都市にとってマンションが「負」の資産に変わります。マンションが60年しか保たないのであれば、住民は積極的に改修などの再投資を行いません。建物の老朽化が進行し、資産価値もなくなり、マンションを相続放棄する人が増えます。

そうならないよう、「建て替え」を促進するための画期的な新しい手法が必要です（次のNo.13参照）。

使う人・住む人の立場で
300年住宅のつくり方 (13)

生活保全は「所有権と30年間の居住権」を交換して、住民合意が得やすい無料建て替えを促進する

■民間による建て替えの限界

30年前、「300年住宅」のマンションをつくり、100年間は住まいの心配をしなくて良いことを目標としていましたが、600万戸以上マンションがつくられた現在は、マンションの建て替えが「生活保全」のために必要な時代に変わりました。

■第1段階：金融補助で実績をつくる

新築の長命マンションを10,000戸つくり、次の目標とするマンションの建て替えで100万戸を目指します。築40年を超えるマンションは100万戸を超えました。しかし、実際建て替えられたマンションはわずか270棟程度です。これからも判るように、所有者による自力での建て替えは不可能といわざるえません。60〜70年で寿命を迎えるマンションを建て替えるための資金がありません。都心部で容積率に余裕があれば、建て替え事業が成立しますが、郊外や地方都市では建て替えは難しいと思います。容積に余裕のない分譲マンションでは、建て替えることで居住面積が減少し、追加費用も拠出することになります。建て替えを諦めて清算する場合は、法改正で4/5の賛成があればできるようになりましたが、マンションの区分所有者の土地の持ち分割合は専有面積が80㎡でも土地持ち分は5坪程度と少なく、解体費も必要になることから、売却できても僅かな金額にしかなりません。そうすると、これまでよりも狭く、家賃が高く、条件の悪い民間の賃貸物件に移住することになります。

このように、民間の分譲マンションの建て替えは、出口が見えない状態で、老朽化だけが進んでいきます。生活保全として住まいを安定させるためには、建て替えの為の住民合意を得やすい、画期的な方法を示さなければなりません。

■第2段階：今までにない「所有権と居住権の交換」で建て替える

そこで新しく提案するのが、無料でマンションを建て替える方法です。老朽化したマンションの所有権と、新しく建て替えるマンションの30年間の居住権を交換するスキームです。今、日本で困っていることは、少子化による年金の不安と、赤字国債の累積による財政です。この社会的な問題と建て替えの仕組みの大きな相互交換です。

建て替えに1住戸3,500万円掛かるとすると、100万戸では35兆円のお金が掛かることになります。今の民間企業では、資金回収に60年掛かるスキームは受け入れられません。そこで、第1の提案としては、①最初は建設国債で建設費等の事業資金を調達して建て替え、②30年後にGPIF（年金積立金管理運用独立行政法人）が買い取る仕組みを提案します。

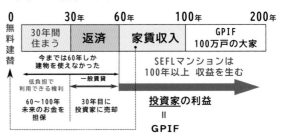

第2の提案は、日銀が保有する赤字国債と新規で発行する建設国債を、架空の市場で交換します。

第3の提案は、それを無償でGPIFに譲渡します。この資金をマンションの建て替えに投資します。GPIFは建て替えたマンションを30年後に買い取り、100万戸の大家さんになります。61年目以降の家賃収入約1.5兆円は基礎年金の40％の額に相当し、年金の貴重な財源となります。

■デベロッパーの仕事は、マネジメントと管理

デベロッパーは、老朽化したマンションの管理組合に事業内容を説明し、意見を調整して、建て替えの事業化を行い、マネジメントフィーを得ます。また、建て替えたマンションの5％の専有床を取得して、その家賃収入で建て替えたマンションの管理を行います。

使う人・住む人の立場で
300年住宅のつくり方（14）

- ① 安全性
- 1 考え方
- ② 自由姓
- ③ エコロジー
- ④ 技術開発
- 2 方法
- ⑤ 市場形成
- ⑥ 金融補助
- ⑦ 生活保全
- 3 結果
- ⑧ 資産形成
- ⑨ 都市環境

■日本版ニューディール政策

日本経済をコロナ不況から早く立て直す為には、独自の新しい「日本版ニューディール政策」を提示する必要があると思います。他の国の影響を受けずに、いち早く脱出する方法が必要で、その為に「コロナ不況からの脱出」をチャンスとして活用することを提案します。

第1に、赤字国債を減らし、GDP並（500兆円）にする方法の発明と実施が必要です。25年で▲100兆円、100年で▲400兆円を減らすことが目標です。100年掛けても借金を返す決定と実践が金融緩和に頼りすぎる日本経済を変えます。

画期的方法は、赤字国債と建設国債の交換です。100兆円規模を使えば使うほど、赤字国債を減らす発明です。交換された建設国債は、日銀からGPIF（年金積立金管理運用独立行政法人）へ無償譲渡されます。その為、建設国債の返済は日銀にではなくGPIFに返済され、時間をかけて元本が戻ります。

■年金資金の源泉を不動産投資＝建て替えでつくる

第2に「人口減少時代」に備えて、年金の資金調達源泉を新しくつくることが必要です。現在、日本経済の復興を牽引してきた住宅は飽和状態を迎えています。これからは作ることではなく、古いマンションを解体し建て替えを促進する政策が必要です。築40年を超す旧耐震基準のマンションも約103万戸あります。建て替えにあたって、一番のハードルは住民合意で、マンションの建て替えは困難を極め、なかなか進んでいません。これを解決する画期的な方法として「所有権と30年間の居住権の交換」という新しいスキームを提案します。住民の建て替え合意を格段に得やすくします。コロナ不況対策として、古いマンション100万戸を壊して建て替えることで新しい市場をつくることが有効です。建て替えはGPIFが行います。GPIFが100万戸の大家になることで、開発資金を回収した61年目以降、約1.2兆円の家賃収入

を得ることができます。建て替えが不可能となれば、マンションは都市の「負の資産」に変わります。

■太陽光発電によるエネルギーと農業の両立

第3の投資は、エネルギーです。田んぼでお米を作りながら、その上空で発電します。日本の総発電量の20％をつくることが目標です。日本の田んぼ面積の30％を使えば可能になります。田んぼは日本で一番広い平地面積を有しています。

田んぼの発電所（佐賀市三瀬村）

田んぼの上空を「共有＝コモン」とする考え方に立って行う「令和の農地改革」で実施を可能にします。

田んぼの発電所からの収益は年間約2.7兆円で、建て替えたマンションの家賃と合わせると約4兆円となり、国民年金の歳出額と同等の収入となります。

3つとも、今はありませんが、「田んぼ発電所」と、「マンションの無料建て替え」に必須条件となる「300年住宅」の実施例をもっています。実施例は両方とも日本で一番優れた考えの見本と思います。単なる評論ではなく、今、日本にとって必要な問題を解決することよって、次の展望が開けない閉塞感を打ち破るきっかけとなります。安心・安全な「住宅」に長期に住むことができ、他国に依存しない自前の「エネルギー」を確保することは、平和を維持して、本当の意味の「生活保全」となります。また、日本の問題を解決しながら、赤字国債を減少させることは国として、国民の生活を守る経済基盤になります。

日本版ニューディール政策のご提案。赤字国債の解消・マンション建て替え・田んぼの発電所

使う人・住む人の立場で
300年住宅のつくり方 (15)

① 安全性
1 考え方
② 自由姓
③ エコロジー

④ 技術開発
2 方法
⑤ 市場形成
⑥ 金融補助

⑦ 生活保全
3 結果
⑧ 資産形成
⑨ 都市環境

■300年住宅の由来

　私の祖先は、小倉・小笠原家の支藩の千束藩の武士でした。江戸末期、長州との四境戦争の折、戦争を避けるため、城に火を放ち、田川郡香春に落ち延びることとなりましたが、そのとき、漬物の糠床を大切に持って逃げたそうです。そのことから、みんなから床々婆さんといわれたそうですが、現在までその糠床が続いており、「うちの糠床は300年続いているからね」と母からいつも聞かされていました。

　私は、「糠床でさえ300年持つのであれば、コンクリートでできた建物も"300年"くらいもたなければおかしい」と考え、超長命化

300年のぬか床

住宅を「300年住宅」と名付けました。実際に建設した300年住宅型マンションは、糠床と同じように、長持ちさせる愛情とメンテナンスできる仕組みを作ることで、300年利用することが可能です。

■資産形成は三代で

　明治以降、現在に至る約100年間だけを見ても、廃藩置県や昭和の農地改革により、それまでの生活手段であった身分や田畑などの財産をとりあげられて失うなど、制度の変革とともに暮しの在り方も大きく変わっています。しかし、そんな中でも住宅は変わりませんでした。それならば、まず「住宅」を"資産"として考えられるものにすることが重要です。

　私の父が話してくれたことで印象的なものに、「"家"は三代かかる」という言葉があります。「初代が苦労をして基礎を造り、二代目は基礎の上に資産を作るので少し余裕ができ、三代目はその資産から富を得ることができる」というものです。

　300年住宅の出発点は、自分が住むために購入したマンションが60年で資産価値を持たずに消滅することはあ

まりにももったいないということです。そこで、少なくとも100年間もたせるという具体的な目標を定めること、その目標に向かって努力すれば、100年間使える住宅をつくることは可能であること、その結果、ローンが終わった時に資産が生まれることを提案しているのです。これは同時に、建築家が心に留めておかなければならない大事な目標でもあります。

■長持ち住宅がもたらす未来

　ローンは未来からのお金です。国や社会が安全で安定していなければできない制度です。この未来のお金を借りて次の世代の子どもたちに残します。子どもたちはそのマンションに住み、また次の世代の孫が住み続けます。結果は、いうまでもなく子や孫は家賃を払う必要が生じないので生活が豊かになり、教育や福祉、文化的な活動や社会への奉仕に使えます。

　子や孫が、そのマンションに住まなかったときには貸すことになります。30年間住んで、100年目まで貸すと驚くような数字の収入ができます。自分は利益を受け取ることができなくても、子や孫が収入として得ることができるのです。

　子が親から受けたマンションに住み、親と同じようにローンを支払うつもりでコツコツと貯金をすれば、マンションを1軒買うことができます。

　「300年住宅」の建設や既存のマンションを100年型に改修することは、生活の安定を図り、文化や芸術・社会の発展につながっていくことになります。

　住宅を基盤とする消費から蓄積への流れが、ものに変わる新たな豊かさを生み出すのではないでしょうか。

　普通の人でも無理なく長い時間の中で大きな富を蓄積することができます。超耐久性を有するマンションだから、時間が富を生むのです。

　そこから生まれる大きなゆとりが文化的な投資へと向かいます。暮らしが、社会が、豊かに育ってゆきます。

一代目が基盤をつくり、二代目がその基盤を安定させ、三代目が発展させる

使う人・住む人の立場で
300年住宅のつくり方（16）

（① 安全性 / 1 考え方 / ② 自由姓 / ③ エコロジー）

（④ 技術開発 / 2 方法 / ⑤ 市場形成 / ⑥ 金融補助）

（⑦ 生活保全 / 3 結果 / ⑧ 資産形成 / ⑨ 都市環境）

景観に関するパブリックルールが必要。色を揃える・オープンスペース・塀をつくらない

■都市環境

私の事務所は福岡市のけやき通りにあります。けやきの大木が並木となり、福岡でも自慢の通りとなっています。この通りは、福岡の原宿・表参道といわれ、アンテナショップが軒を連ねていましたが、バブル崩壊後、急速にさびれていきました。1993年、危機感を募らせたビルのオーナーや街の人々が集まって「けやき通り発展期成会」をつくり、魅力ある通りにすることを考えました。その活動の結果、日本の街路樹百景や第11回福岡市都市景観賞などを受賞するまでになりました。私の事務所は、「けやき通り発展期成会」の事務局をしています。

通りの長さは約800mで、道幅は約23mです。まず、2m以下の歩道を拡幅し、交差点の歩道にはオーストラリアのパースから持ってきたレンガを敷き、英国のプランターボックスを設置して花を植えました。幹と枝をライトアップして夜は明るくなるようにしました。いまでは福岡市で一番美しい通りになりました。小さな実例ですが、季節の移り変わりの中でやすらぎが感じられる、歩いて楽しい街になっています。

この通りで注意して守っていることは、"外壁の色"です。最初にけやき通りにマンションを設計するとき、「みんなでこの通りを守るためにできることは何だろうか」と考えました。お互いが無理することなく協力しやすいのは、"色"でした。それまで外壁の色は濃い赤茶色が主流でしたが、どうも福岡にはそぐわない色なので、地域の土を調査した結果ベージュの色が候補としてあがりました。この色は風化した花崗岩の色で、いわゆる"まさ土"の色でした。色をそろえることにより、街を美しくつくることができると思い、この色を基調としたオリジナルのタイル"シャトレタイル"を造りました。このベージュ色のタイルは福岡の人々の心をつかみ、賛同を得、この通りの多くのマンションで使われるようになりました。

この通りの中にマンションを設計するときに、「建築

と街づくり」をテーマに試みた方法が、①街をベージュの色で揃える、②オープンなスペースを設ける（セットバック）、③塀をつくらない、の3つでした。この3つのテーマに絞り話し合いをすることで、デザインの質の格差が少なくなるので、まとまりがつきやすくなります。部分的な修正であっても、そこに「街を美しくする」という意思があり、小さな積み重ねが集積すると、時とともに街並みは美しく育ってゆきます。

今は法に適合していれば自由に建築できますが、住環境の質を上げるためには、一定の規制を行う必要があります。例えば、高さを15m程度に抑え、容積は150%、建ぺい率を40%程度とすれば、下の写真の浄水通りのように緑に囲まれた素晴らしい住環境を造ることができます。美しい住環境をつくることで投資意欲を高め、建設の仕事をつくることを提案します。ここでは、異なるオーナーに対して10年以上の歳月で、街並みの統一性が必要なことを話し合って4棟の設計を行い、建物と共に住環境の整備を行いました。

浄水通り街づくり

「マンションの無料建て替え」の要点

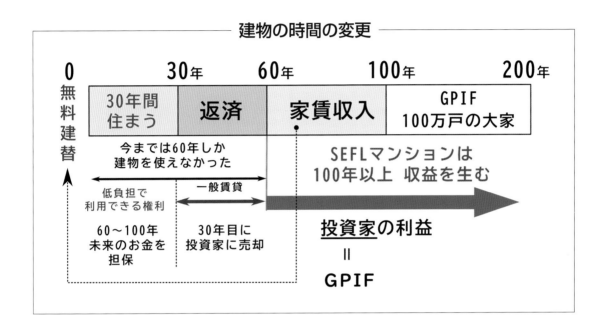

マンション問題を「解決」するためには、技術面だけでなく、
社会的にマンションを建て替える「スキーム」を確立することが必要です。
この節では、マンションを無料で建て替えるスキームについて述べます。
マンションストックは685万戸を超えました（2021年末）。
2031年には築40年以上のマンションが250万戸を超えると予想されています
しかしながら、建て替えられたマンションはわずか310件（2022年4月現在）で、
マンション建て替えはなかなか進んでいません
進まない要因はいくつかありますが、
最も大きな理由は「お金の負担が大きい」ということです。
余剰容積が見込めないマンションが多く、購入者が高齢化して資金負担ができず、
同意が得られないことが挙げられます。
そこで、100年以上利用できるマンションに建て替えて、
60年以降の賃貸収入で建て替え費用を賄う仕組みを提案します。
ポイントは、「所有権と利用権の交換」です
これにより、老朽化したマンションを建て替えることができ、
安心して住み続けることができます。

マンションの無料建て替えとは

　マンションの無料建て替えとはどんなことなのかというと、「現在の分譲マンションの所有権」と、「建て替えたマンションに一定期間無料で住むことができる利用権」とを交換する仕組みです。

　そのため、新しく建て替えるマンションは100年以上利用できる構造や仕組みが必要になります。300年住宅やSEFLの技術はそのための仕組みです。

現状の問題点

　この数年の当社の仕事は、建て替えが中心です。土地の入手が困難なため、高度成長期とバブル時の建物です。建て替えといっても、ワンオーナーの不動産を売却して、分譲マンションに替わるだけです。一方、初期の分譲マンションは公団型（階段のみでエレベーターがなく、主に5階建てが多い）で、各自が所有するため、話し合いが前には進みません。住民が高齢化しすぎていることと、容積を2倍に増量してもデベロッパーの採算がとれないからです。また、住民も負担ができないので、当然ですが話はまとまりません。このままでは、戸建て住宅の空き家に続いて、マンションの空き家が続出することになります。

　建て替えの条件は、第1に所有権と利用権の交換に応じること、第2に100年以上住むことができる建物であること、第3にGPIF（年金積立金管理運用独立行政法人）による事業投資であること、になります。

　ここで重要なのは、建物に100年以上住めることです。100年間の担保ができれば、建物の"時間割"をつくることができます。30年無料で住むことを目的とします。300年住宅の6項目が保持できれば、長命化は可能となります。

マンションの無料建て替え（概要）

■マンション建て替えが新しい市場になる
　都心部のマンション適地は少なく、入手は困難で、高値となっています。人口・世帯数は減少が進み、将来的に新築分譲マンション市場は確実に縮小します。そこで、今後のマンション事業は「建て替え事業」に力点を置き、いち早く市場として確立する必要があります。

解体前の建物（福岡市南区高宮）

建て替え後の建物（福岡市南区高宮）

解体前の建物（福岡市中央区赤坂）

建て替え後の建物（福岡市中央区赤坂）

■マンションの建て替えを促進する方法
　＝「マンションの無料建て替え」

　マンションを無料で建て替えることで、今まで難しかった住民合意が得られやすくなり、建て替え市場が確立します。

■現在の建て替えが難しい原因

　余剰容積がなく、立地が良くなければ、デベロッパーの参加は難しく、建て替えまでに至りません。住民は高齢化しており、大きな負担を伴う建て替えでは、住民合意が得られにくい状況です。

　しかし、古くなったマンションは、そのままではいずれ住めなくなります。老朽化したマンションの所有者は修繕費の負担が増大して、あと何年住めるのか不安を抱えています。建て替えたくても、建て替えられない。高齢化した居住者は、このような現実に直面しています。

　また、マンションは所有しているだけで、管理費・修繕積立金・固定資産税などの固定的な支払いが生じます。

　問題を解決できると、住民合意を得られやすくなり、建て替え事業が進みます。

■所有から利用へ＝マンションの価値を変換する

　前項の課題を解決するために、次のようなスキームを提案します。

①古くなったマンションの所有者は、既存のマンションをデベロッパーに譲渡する。

②デベロッパーは、既存マンションを解体し、新しいマンションを建設する。建設資金は、30年間元本据え置きで金融機関から調達する（GPIF から資金調達）。

③所有者は、新しいマンションを30年間、少額の負担で利用することができる。住んでも良いし、貸しても良い。「少額負担」の内容は、⑴事業費の金利（１％）相当分、⑵固定資産税の1/2、⑶管理費の合計。

④一般家賃を支払えば、30年以降も引き続き住むことができる。

⑤デベロッパーは30年後に、この物件を入居者付で投資家（GPIF）に売却して売却益を挙げるか、保有して賃貸収入を得ることができる。ただし、建設時の契約内容による。

■古いマンションの区分所有者

　この方法で、古くなったマンションの区分所有者は、建て替え資金の負担なしで、同等規模の住戸面積の新しいマンションに30年間住む権利を得ることができます。築40年のマンションに住んでいる60歳の方であれば、90歳までの30年間を、安心し

て安く住み続けることができます。

　建て替え費用の負担がなくなり、以前と同じ広さのマンションに、30年間安心して住むことができる為、高齢者の合意が得られやすいスキームです。

■デベロッパー

　デベロッパーは、初期的な事業費の負担なしで、GPIFの信用と資金を利用して、新しいマンション（土地と建物）を手に入れることができます。この時、今までの不動産を担保とする信用から、GPIFの信用とデベロッパーのマネジメントにより事業化が進みます。例えば、銀行の信用と同じ扱いになります。

■このスキームの重要なポイント

①金融期間から、30年間元本据え置き、低金利（1％）で事業資金を調達する＝「GPIFの信用」と「100年以上利用できる建物」が担保。

　「社会の公器」としての絶対的な信用が一番のポイントです。金融機関も、30年間元本据え置きを了承するためには、「潰れない」という担保者の永続性が絶対条件になります。これは、既存マンションの住民も同様です。永続すると信じられるGPIFでなければ、この方法で建て替え事業を行うことはできません。二次的には、建て替えられる優良なマンションの土地・建物が担保となります。

②新しく建て替えるマンションは、100年以上もつ「長命化マンション」で建設する。

　このスキームでは、<u>建て替えられたマンションは100年以上もつ</u>ことが重要になります。従来のマンションより、40年以上長く住むことができるため、長命になった分の収益が増加します。40年間の賃料は約5,000万円になるため、GPIFの投資商品になります。そのため、建て替えるマンションは、長命化の技術「SEFL（セフル）」を採用します。

■「SEFL（セフル）」の基本技術

　技術的な基本項目は、①躯体強度1.25倍、②かぶり厚（実効40mm＋20mm）、③共用配管の取り替え（外配管）、④屋根の二重防水、⑤階層目地の三重水切り、⑥剥離しないタイルの6つです。この合計金額を、150万円／戸とみなします。このうち、一番コストが掛かるのは強度1.25倍で65万円／戸になります。

長命化（SEFL）の建物（福岡市）

■デベロッパーの仕事が変わる

このスキームでは、デベロッパーは2回のマネジメントにより、開発利益を得ることができます。（建て替え時のマネジメント経費と売却時の経費）

①建て替えマネジメント

古くなったマンションの建て替えマネジメントを行うことで、1住戸200万円のマネジメントフィーを売上とします。年間200戸の建て替えを行えば、マネジメント費：200万円/戸×200戸＝4億円の利益となります。これは現在の分譲マンションで、500戸程度に相当します。

②デベロッパーは31年目以降に投資家（GPIF）に1棟売りするか、自分で保有して賃料を得る

(1)売却

売却する場合、売却額には、建て替え事業費（元本据え置きの事業資金）及び30年間の営繕費・固定資産税の1/2相当額、30年目の改修費、売却の際の経費を計上します。

売却先としては、時間をかけてGPIFと交渉することになります。

(2)保有

保有し続けるのであれば、31〜60年までの賃料収入で、事業費や維持費を返済します。建物は100年以上もつので、完済後、61〜100年目までの賃料約5,000万円が収入となります。この未来の40年間の収入が、建て替え事業ができる理由です。

■今がスタートする好機

①管理組合へのアプローチ

2021年時点で築40年以上のマンションは115万戸ですが、2031年には250万戸、2041年には425万戸になると推計されています（国交省）。

築40年を超えたマンションの管理組合に、必要度合いが高い方からアプローチして、ヒアリングしながら、建て替えマンションの新しいあり方を提案する必要があります。

最初は管理会社経由で、管理組合にアプローチします。

②実施例の紹介

当社の「300年住宅」や長期優良住宅先進的モデルプロジェクトなどの先例を通して、所有者にアピールできます。100年以上もつマンションへの建て替えの実施例です。

実際に長命化の技術を採用したマンションを紹介することで、身近に感じることができます。

また、長命化の技術を採用したマンションには「SEFL」マークを認定することで、客観的に100年以上保つ長命化マンションであることを証明できます。

■古いマンションの所有者のメリット
＝少額負担で30年間住める安心を手に入れる

古くなったマンションの区分所有者は、概ね月額5万円程度の費用を支払っています。

〈古いマンションの月額費用負担〉

管理費	0.8万円
修繕積立金	3万円
固定資産税	1万円　※建物の固定資産税は初期の1/2程度に減少
計	4.8万円

①住む場合

同等レベルのマンションに建て替えて住む場合の30年間の少額負担は次のようになります。

〈入居者の30年間の負担額＝少額負担の内訳（月額）〉

金利相当分	1.5万円

　　※初期事業費：3,500万円 ×0.5％

固定資産税（1/2）相当額	1万円

　　※24万円／年 ÷12カ月 ÷1/2

管理費	1万円
計	3.5万円

現在の負担額以下の金額で、耐震性と居住性に優れた新しいマンションに30年間住むことができます。この保証が、高年齢者を住めなくなる不安から解放し、これからの安心となります。

②貸す場合

周辺相場が80㎡、15万円程度とすると、家賃15－経費3.5＝11.5万円程度安く住むことができます。反対に第三者に賃貸すれば、10万円程度の賃料収入を得ることができます。

今のままの古いマンションだと、老朽化が進み「住めない、貸せない、崩せない」という状況になった場合、資産価値がないため、相続放棄などで引き取り手がいなくなります。その結果、マンションのスラム化が進行して、建物全体に影響が出ます。しかし、このスキームで建て替えると、所有しないので「持ち続けることの不安」から解放され、30年間の安心を手に入れることができます。

これは、建て替えの賛同を得ることの最大理由となります。

■デベロッパーの事業費内訳

デベロッパーの建て替えに要する初期的な事業費は次のようになります。

〈建て替えマンションの事業費（戸当たり）〉

※福岡市における消費税込みの価格

建築工事費	2,500万円	
SEFL 技術追加	150万円	
解体費	300万円	
間接経費	100万円	※設計・ボーリング・測量等
デベ経費	300万円	※200万円はマネジメント費
住み替え費	200万円	※古いマンションの所有者の
合計	3,550万円	住み替え費用

　この資金は、金融機関から30年元本据え置きで調達します（GPIF の資金運用）。

　金利相当分は区分所有者から少額負担として徴収するので、デベロッパーの負担はありません。ただし、固定資産税は本来、土地建物の所有者であるデベロッパーの負担となりますが、住民とデベロッパーで1/2ずつ負担することを取り決めて、所有者の負担額に含めます。デベロッパーの分は、31年目に投資商品の原価に加算して清算します。デベロッパーが30年後に投資家に売却する金額は次の通りです。

〈30年後の販売価格〉

初期の事業費	3,550万円
30年目の改修費	100万円
30年間の固定資産税（1/2）	360万円
デベ経費	300万円
計	4,310万円

〈新築マンションの売価〉

建築工事費	3,000万円
土地費	500万円
デベ経費	1,000万円
計	4,500万円

　0.5％のインフレと仮定すると、30年後は15.6％アップするので、新築マンションは、4,500万円 ×1.156＝5,200万円相当になります。

　30年後の売却時には、建て替え分譲：4,310＜新築：5,200と割安となり、以後70年以上利用できることを併せても、十分販売が可能な金額です。

　引き続き保有する場合は、61〜100年目までの40年間の賃料収入は約5,200万円（＝10.8万円／月 ×12カ月 ×40年）なので、5,200万円 ÷40年＝(年収)130万円／年となり、粗利益率は（年収)130万円／年 ÷(購入額＝30年後の売却額)4,310万円／戸＝約3.0％になります。

　30年後にGPIFが買い取った場合、この賃料収入（5,200万円／40年）がGPIFの大家さんとしての収入となり、年金の財源になります。

　仮に100万戸の50％＝50万戸を、このスキームで建て替えてGPIFが大家になった場合、管理費や固定資産税などの経費を差し引いた月額の家賃収入を10.8万円とすると、年間の家賃収入は、

　10.8万円／月・戸 ×12カ月＝約130万円／年・戸

　50万戸の年間の家賃収入は、

　約130万円／年・戸 ×50万戸＝6,500億円／年

となります。

まとめ

　100年以上使うことができる建物であれば、"新しい時間割"をつくることができます。将来の時間から得られる収入を、建て替えの一番の「障壁」である「建て替え費用」に充てることができます。建物に30年間住み、その後の30年間で返済し、さらにその後の40年間は収入を得ます。

　事業者に「長期にわたって存続する信用」が必要ですが、GPIFが事業者であれば、信用面でも資金の供出の面でも適格要件をクリアできます。

■マンションの無料建て替えを民間ベースで行う場合（詳細な説明は省略）

マンションの無料建て替えを民間ベースで行う場合の各事業者の収益をまとめたものが、下記の表です。GPIF、民間銀行、デベロッパーがこの事業に参加し、3,500万円／戸で建て替えを行います。100年間の期間では、家賃収入の総計は9,600万円、GPIFの運用益は約4,100万円となり、3,500万円の運用益5％の約200万円を引くと、3,900万円が年金相当分になります。各社の事業収益は、民間銀行が約650万円、デベロッパーが870万円となります。

経年	家賃 9,600万円	建て替え 改修工事 4,500万円	各期間中の発生費用		GPIF 運用益 4,095万円	民間銀行 収益 645万円	デベロッパー 収益 870万円	
30年	無料	建て替え 3,500万円 スタート	初期費用は国債で調達した資金と銀行の融資で賄う。支払いは31年目以降		200万円	0	450万円	無料で入居できる期間
60年	12.5 万円／戸・月 30年 4,500万円	改修 200万円 （30年目）	建設費 3,000／デベ 450／経費 50／改修 200／GPIF 200／金利 310／管理 180	4,380万円	110万円	310万円	180万円	事業費を回収する期間
75年	12.5 万円／戸・月 30年 4,500万円	改修 500万円 （60年目）	改修 500／金利① 300／金利② 32／管理 90	922万円	1,238万円	332万円	90万円	利益を年金資源に充てる期間
78年	10 万円／戸・月 3年 360万円	改修 300万円 （75年目）	改修 300／金利 3／管理 18	321万円	39万円	3万円	18万円	
100年	10 万円／戸・月 22年 2,640万円		管理 132万円		2,508万円	0	132万円	

第 **3** 章

高齢社会の解決策

「シルバータウン」の要点

美奈宜の杜

年金問題を「解決」するために、高齢者の新しい生き方を提案します。
それを実現する1,000戸、65万坪のシルバータウン「美奈宜の杜」を
福岡県朝倉市（当時は甘木市）に企画しました。
この節は、「シルバータウン」の要点をまとめたものです。
日本最初のシルバータウンの企画・設計者であるという背景をもって、
シルバータウンの在り方や仕組みを解説します。
当時よりコンセプトに取り入れていた働・学・遊の「遊」の暮らしを、
週末、佐賀市三瀬の里山にて実践しています。
まずは自ら生活に取り入れてみることで、周囲の人々にも、
この道を辿れば、将来の平穏な暮らしがあることを示唆しています。

シルバータウン（概要）

■社会保障を考える──団塊世代の不安な老後

65〜75歳の人生を安心して過ごす方法を考えます。まずは、社会保障を受ける当事者である3,000万人のシルバーの意識を大きく変えていく必要があります。

■「友愛」と「互恵」の社会づくり

個人と個人が助け合い、個人と集団がコミュニティとしてつながってゆく図式が目指すべき社会です。人は「支え合う」必要があることを再認識すべきなのです。高齢者は自立し、勤労世代と共生して、社会を動かすことを目指します。「友愛」と「互恵」をもって人間関係を支え合うのです。

■超高齢社会における方針と意識──「働」「学」「遊」

リタイアした個人が、健康に生活を送るにあたり、「働」「学」「遊」のキーワードを軸に考えます。

「働」＝都市に住む高齢者にとって、年金中心の生活に加え、1日4時間、従来の半分の時間を「働」くことで自立ができ、社会の一員としての存在を実感できます。

「学」＝ひと通りの人生を経験した高齢者は、鋭い探究心と熟成された好奇心からさらなる挑戦を目標に掲げ、自発的な「学」習は、その人生の"質"を高め、有益で、これ以上頼もしいものはないと感じます。

「遊」＝未体験な領域に踏み込めば、「遊」びの世界は感動を帯びます。

深い洞察力により奥行きを持つ人が集まるコミュニティの中心になるものは、互恵（お互いに助け合う）であり、友愛（思いやり）の意識であり、この心が、豊かなまちをつくってゆくのです。そこでは、「働」「学」「遊」の精神を柱に、健康な生活を送り、人生の完結を目指します。

■シルバー社会に応じた「進むべき互恵主義」とは

成熟した日本の向かうべき原理・原則を「互恵主義」と表現したいと思います。

「互いが助け合うことで役目が見えてくる」

「お互い様で、人が絆で結ばれる」

現役時代は仕事で時間が拘束されますが、リタイア後はボランティアなどの奉仕活動が例として挙げられます。社会にとって必要なことが、お互いに助け合う社会の構築に参加することで見えてきます。人は自らの心が豊かであれば他者に思いやり

を持って接するようになり、お互いが助け合う中で人と人とが絆で結ばれます。

　今、福祉で行き詰っている日本にとって必要な「こころ」です。

⑤国策でシルバータウン投資を行う──現代版 "姥捨て山"

　国が建設国債を発行して「シルバータウン」の開発費に投資することでお金の流れをつくり、日本経済の問題解決の糸口とします。

　第3世代（65〜75歳）の人口は1,700万人と高齢者総人口の約半数であり、第3世代の多くの人は肉体的にも精神的にも健康で自立しています。経験に富み、多くの知恵も持つ彼らのマンパワーをシルバータウンで活かすのです。

　仮に1,000戸のタウンが全国に100カ所できれば、100の知恵の集合体が生まれます。収入を得ることのできるシルバータウンは経済的に豊かであり、現役世代にも憧れの場所となります。

⑥福岡に実在するシルバータウン「美奈宜の杜」
　──住むと収入を得ることができるまち

　これを現実のものとするのが、自然溢れる田舎に住み、健康に暮らせて、収入を得ることのできる「シルバータウン」なのです。

　第3世代がハッピーリタイアを過ごすにふさわしい環境を備えた、社会の受け皿としての役割を担うのが「シルバータウン」です。

⑦シルバータウンに必要とされるもの

　物理的な条件では、
　・遊べる場所と、働く場所がある "まち"
　・収入が得られる "まち"
　・学べる "まち"
　・自宅で死ねる "まち"、その日を迎える "まち"
　精神的な条件では、
　・都市の中で孤独になりたくない、仲間が欲しい
　・健康になりたい（誰も病気を望まない）
　・若い人に負担を掛けたくない
　・植物、水、田畑など地球に負荷をかけないものは、人間にも良い環境である
　高齢者の暮らしにおいて必要なものは、次の5つに集約されます。
　①健康　②経済　③ケアの保証　④時間の過ごし方　⑤環境

8 シルバータウンで電気をつくる
　──「1％のエネルギーづくり」

①住まうことで健康と収入を得るまちづくり

　1日4時間働くことで、年間180万円の収入を得ます。

②シルバータウンの概要

　シルバータウン計画は、1,000戸の集落として1タウンが成立し、最終的には全国に100カ所できると、総勢10万戸の人々がシルバータウンでの豊かな暮らしを営むと同時に、年間総発電量の1％のエネルギーづくりを達成します。

9 シルバータウンが社会のコモンズ（共同体）となる日

　人間としてお互いが助け合う「互恵主義」のまち、「働・学・遊」のまちづくり、それは現代の都市にとっての「コモンズ」となるでしょう。

　シルバータウンでは、高齢者の知恵や労働も社会全体の共有財産と位置づけます。「自然の中で暮らし、働き、学び、遊ぶことができるコモンズがそこにある」、都市においてシルバータウンづくりは、単なるケア施設をつくること以上に必要となるでしょう。これからの社会の構造において見えてくるシルバータウンは、まさに現代の「コモンズ」なのです。

10 福祉を受ける側から「自立して働く」への変化

11 シルバータウンから始まる
　原子力に替わる20％のエネルギーづくり

シルバータウン（まとめ）

■シルバータウンの役割とは

　甘木に65万坪を有する日本最初のシルバータウンの企画・設計者であるという背景をもって、当時よりコンセプトに取り入れていた働・学・遊の「遊」の暮らしを、週末、里山にて実践しています。自ら生活に取り入れてみることで、まずは周囲の人々に、この道を辿れば、将来の平穏な暮らしがあることを示唆しています。友人たちからは、その里山での暮らしがうらやましいとの声をいただいていますが、その暮らしを再び世の中に還元したいと思い、今の時代に合ったシルバータウンづくりをする上での「遊」として提案するに至りました。

　人々に定年後、どこで過ごしたいかを尋ねると、その意見は、都心と田舎（郊外）と、ちょうど半々に分かれるところです。都心は高齢者が生活していく上で、体の自由が利かなくなった後のケアを中心としていますが、ケアを必要としない健康なからだづくりのできる環境こそ重要であるという考えに基づいているのが、郊外のシルバータウンでの暮らしのあり方です。

　医療費や介護費の一部を負担することが社会保障の通念のようになっていますが、その前の段階の、病気にならない、ケアを必要としない、自立した生活を送れるように促すことこそが、本来の福祉のあり方ではないかと思うのです。まずは人々が健康に暮らすことのできる条件・環境を整え受け皿をつくることで、そこに人々が集まり、まちが形成されていきます。

　暮らしやすいまちには、人や物が集まります。都心から人の流れができ、都心の機能が郊外に移っていきます。そこに集まる人々がまちを形成していくのです。都心には人が溢れています。都心と田舎の人口のバランスを整えていくのです。1,000人が集まれば、生活に必要な機能、設備が整い、まちが誕生します。都心には、生活に密着したものから文化や娯楽まで施設が整っていますが、シルバーにとってはむしろコンパクトさが求められます。現代は、航空や鉄道、高速道路など交通網が発達しており、郊外が都心に整合していくのは難しいことではありません。

　都心に住む子供や孫、友人らが訪れるまち、そこに住む仲間と触れ合えるまち、そこに暮らすそれぞれが培ってきた社会での経験や知識を、必要とする他者に還元し継承することで、文化が育まれます。都心か郊外か、という隔たりなく、多くを共有できるタウンです。自然がもたらす土・水・空気・緑など良い環境は、健康づくりにも良いとされており、そこでは心身ともに健やかに暮らすことができます。

公園と宅地の境に塀がない

人々が行き交うシルバータウンは限界集落にはならず、風土に見合った文化を形成し、個性的なまちとして誕生します。そして全国的にタウンが形成されることで、まち同士が互いに相乗効果を発揮し、ネットワークを形成していきます。タウン間の横のつながりは、まちの外部との接点となり、住人に人間としての成長をもたらすでしょう。

個が社会に埋没してしまう時代、シルバータウンは、シルバー層だけでコミュニティを形成するのではなく、世代間の交流を可能にする役割、都心とつながる衛星都市としての役割を担っているのです。また、住む人一代限りの使い切りのまちではなく、100年かけて次の世代が継承し、世代間で利用できるコモンスペースです。

また、精神的豊かさと経済的豊かさを持ち合わせたタウンの構造の中でもうひとつ重要なことは、定年後も働いて収入を得、タウン設備の使用対価の支払いをすることで、公共事業としての開発資金を国に還元するということです。共同体を介して、国民と国との結び付きを形成していることにも、シルバータウンの役割が見受けられます。

■第3世代の暮らしと、社会における立場

シルバータウンでの暮らしは、働・学・遊のコンセプトで成り立っていますが、精神的なところでは、互いに助け合うということが重要であるとし、「互恵主義」を暮らしの中に据えています。住まいであり、仕事場であるシルバータウンが衛星都市となることで、子供や孫たちといった次世代にも、そのこころは伝わり、第3世代が経験してきた伝統的な日本人の暮らし、姿勢そのものが哲学となり、これがまちの人々に継承されていきます。

現代社会は何事においてもボーダレスであり、その時々の瞬間の影響が大きく作用します。世界的には今、中国やアメリカが世界を動かす鍵を握っています。世界のバランスの指標として、<u>為替が存在し均衡を図るように、精神の均衡化が求められています</u>。例えば、ボーダレスな時代、世界を股に掛けて活躍する人が国籍を保持することで、どこにいようとも自分自身という存在意義を感じるように、共通の哲学をもって人々が国の平和を願えば、求心力は高まるのです。

第3世代は「友愛」と「互恵」の精神を持って暮らしていきます。東日本大震災後、被災者および国民は「絆」を合い言葉に復興を目指してきました。人や店を襲わない治安の良いまちとしての日本、その日本人としては当たり前の姿が、世界に感動を呼んだように、常の暮らしを通してこそ、伝わるものがあります。戦前戦後の日本を知る第3世代の暮らし方を通して、

世界が認める日本の立場が形成されてゆくのです。世界は日本に対して、対立する国家間のクッションのような緩和役という認識を持っています。世界の平和を維持することができるのが我が国なのです。

衛星都市のシルバータウンでは友愛と互恵の精神を主軸に、

【働】　働くことで健康になり、現役時代とは異なり4時間の労働を行います。

【学】　自然や歴史から学ぶことで人間が成長します。

【遊】　学を具体化することで深みが出ます。

生け花が、私にとっての「遊」ですが、自然に学び、自然に遊ぶことが、穏やかな暮らしにつながります。そこにある暮らしに、美が介在することで文化が深まり、まちが美しさを備え、それが景色となります。地中海のように古い都市や建物を美しく整えることに暮らしの美があります。そして、美は暮らしの真価を深めます。

「くらし」そのものが何であるかが問われています。

■社会を変えるとは

第3世代は、活動的に働くことができる人たちです。戦後の日本の成長を知る、彼らが社会を変える役割を担います。65歳以上の高齢者3,000万人の一人ひとりの倫理や意見は、選挙での投票というかたちで国を動かしていますが、これからは、実際の行動として1,000人集まることで、ひとつのタウンとなり、全国100のタウンになっていく過程の中で働きかけをしていきます。65歳〜75歳はリタイヤしてもなお現役で存在する予備の力として、現役社会に復帰することが求められています。

現在、甘木にある「美奈宜の杜」には、そのまちづくりの理念に賛同した人々が全国から集まり住んでいます。当時も今も、まちづくりにおける理念的なものは変わりません。今日まで高齢化社会において望ましいインフラを整備したコミュニティづくりが推進されていません。要ケア期間ではなく健康で生活する期間に重点を移し、人間としての成長を中心としてこれを促進し、人間としての尊厳を大切にする社会構造の構築を目指したいと思います。

後に挙げます国の危機としての4つの問題は、国民である私たちの生活に直結しています。政治では解決できず、国債は増える一方ですが、このような状況を続けていくわけにはいきません。危機の度合いは大きいですが、できることから対策を始めます。まずは、年間総発電量の1％のエネルギーづくりを太陽光発電で行います。

これまで、国力は教育にあるとされていました。教育によって次世代が育ち、歴史に学んで正しい行動を起こせる人になる

のです。近頃は、問題を見つけ共有し、どう解決していくかを「考える力」が育っていないように思います。「創造力」の低下です。東日本大震災後の原発問題が契機となり、自然エネルギーへの転換が課題になっています。しかし現状は、電力会社は国に対して原子力発電所を再起動させる方向に動いており、世論は、原発再始動なのか、原発ゼロなのかの両意見の綱引き状態で、政策は一向に前に進んでいません。

　本書では「300年住宅によるマンションの建て替え」に加え「田んぼの発電所」を提案していますが、最終的には太陽光発電で総発電量の30％をつくる自然エネルギー政策としてまとめます。まずは最初の第一歩として、原子力による発電がゼロであっても、原子力によって生産されていたのと同じ30％のエネルギーをつくる策は他にある、という仮説を立てることに始まります。仮説を立て、どうすれば解決できるのかアプローチしていくことが大切です。「考えること＝創造力」が全ての基本となります。イマジネーションを繰り返すことで、後に挙げる４つの問題の解決策として実現可能なモデルが誕生します。

　これは、
　①イメージする
　②資料を集める
　③実行する
　④反省する
　⑤ファイル化する
という、私の仕事の流儀、生き方そのものを当てはめています。

　初めにイメージがあって、それが淘汰されることによって効果が正しく生まれ、その効果を皆に知らせることによって、賛同があり協力体系が形成されます。トヨタや日産が戦後、世界に冠たる企業になったのも、問題を提起し、社員や関係者の意見を取り入れて少しずつ改善してきたためです。戦後、自動車工業がものづくり、そして産業経済の主役になった勝因はここにあります。

　現在、甘木にあるシルバータウン「美奈宜の杜」でも、住人の声を聞き、さらに住みごこちがいいように多くの企業や関係者の力を借りて改善を繰り返す中で、住み良いまちがつくられてきました。その実績、自分自身の里山での暮らしの体験から、シルバータウン構想は、国が抱える問題解決の糸口になり、国の示す方向性の始点となると信じています。

■シルバータウンの１％のエネルギーづくりは
　国の問題解決への始点
　国の抱える問題として、下記の４つが挙げられます。
　①医療保険32兆円・介護保険7.5兆円・生活保護３兆円など

筑後平野を望む

の社会保障関係費が増加。

②国債依存、歳入のうち赤字国債収入は38兆円。これに対し支出は、赤字国債の利払費10兆円と債務償還費11兆円の合わせて21兆円の国債費、これらの固定的な赤字を差し引いた残りは17兆円だが、これ以上の増加があってはならない。

③食糧・化石燃料などの輸入費用が増え、赤字貿易を招いている。

④自然エネルギーへの転換が1％と、進んでいない。

第1章で述べている田んぼの発電所は年間総発電量の30％をつくるもので、この施策がもたらす効果として次の点が挙げられます。

(a)開発を公共事業とし、建設費の資金を建設国債での調達とし、25年で償還すると、最終的に年間総発電量の30％まで達成できれば、開発資金完全償還および事業の黒字化が実現する。

(b)開発資金は電気料として徴収するので、公平性のある国民負担となる。

(c)国の危機として、第3世代に予備の力となってもらい、エネルギー設備の設置とメンテナンスに1日4時間従事してもらう雇用が発生する。

(d)農家の経営状況を改善、その他、後継者不足の解消、食糧の自給率の上昇

これまでの政治では、4つの問題に対する具体的解決策が実行されず、65歳以上が3,000万人を超えたことに起因する社会保障関係費、そしてさらなる化石燃料の輸入増加による貿易費、この2つは増大の一途を辿っています。これでは赤字国債は増えるばかりになってしまいます。国家の財政においては、この赤字国債のさらなる増加を止めることに本当の意味があります。

まずは1％の施策の効果に対する国民の賛同を得ることが、国が抱える問題解決へ向けての始点になります。また、国の問題は国民の問題と直結しています。私たち国民一人ひとりが真剣に考えなければならない問題です。

「労」にあたる1％の施策は、国家再生の根幹的な役割を担っているということについてまとめてきました。「田んぼの発電所」と「300年住宅によるマンションの建て替え」の2つの施策は、国力の低下を止めることに核心があります。

■シルバー（第3世代）の在り方

シルバータウンは、ケア重視のまちづくりではなく、シルバーがハッピーな生活を送ることができるまちづくりです。

次項は、そのコンセプトをまとめて、オーナーと銀行に提出した当時のレポートの一部です。

公園と宅地の境に塀がない

シルバータウン 「美奈宜の杜」企画書

この節は、シルバータウン「美奈宜の杜」をつくるにあたり、
設計のコンセプトをまとめた企画書で、実際に使用したものです。
生命保険を使う仕組みについては実現していませんが、
シルバータウンの開発および運営の仕組みについては、
青山監査法人（当時）においてシミュレーションし、証明・裏付けを行っています。

写真は「三瀬山荘」における四季折々の田舎暮らしを紹介した書籍で、
シルバータウンの基本コンセプト「働・学・遊」の「遊」の一例です。

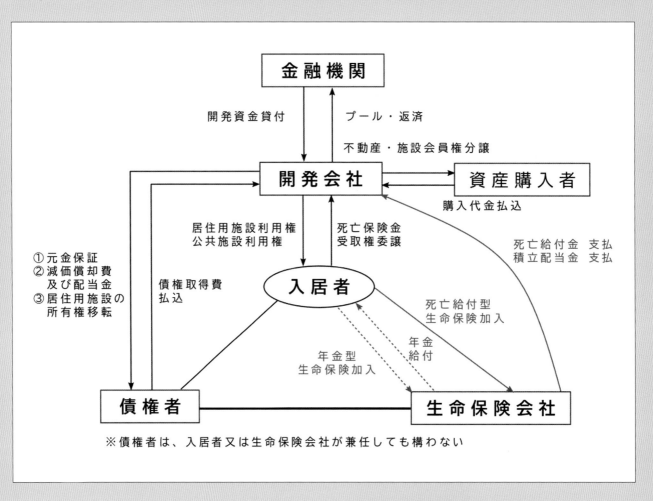

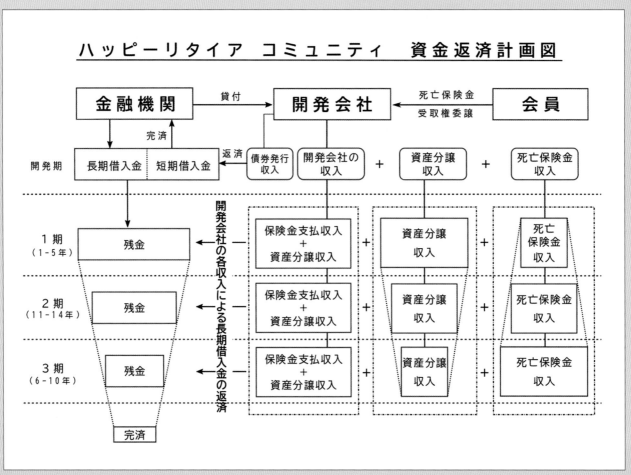

ハッピーリタイア コミュニティ 資金返済計画図

ハッピーリタイア コミュニティの特長

新しい生保システムに入会すると月々の掛け金を支払うだけで諸施設が利用できる

新生保システムへ入会し、毎月掛金を支払うことで諸施設の利用権を得ることができます
まず、環境の良い街に住める＜居住権＞、ゴルフ場等のスポーツ・レジャー施設利用権、
工芸などが楽しめるカルチャー施設の利用権。さらに働いて収入を得ることもできます。

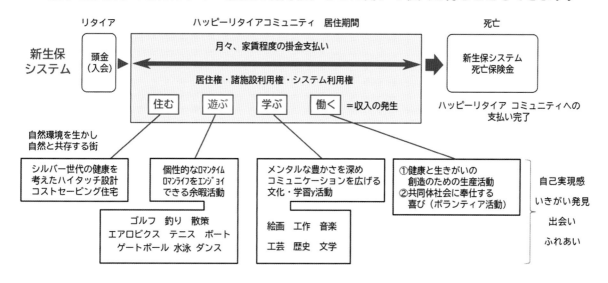

ハッピーリタイア コミュニティの特長

この街は良好な住環境だけでな＜働き、学び、遊べる＞という仕組みもあります

住民はもとより、その家族や友人、地域の人々までのネットワークを
愛と奉仕の心を軸に「働・学・遊」という３つの柱でつくります
同時に、その中で社会への参加・貢献も行っていきます

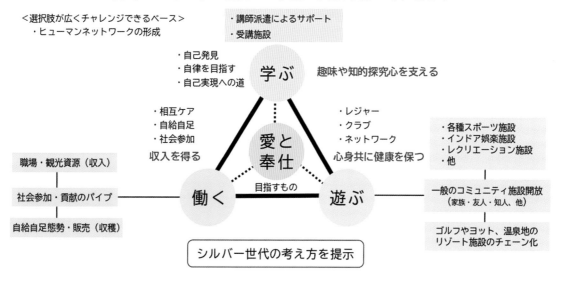

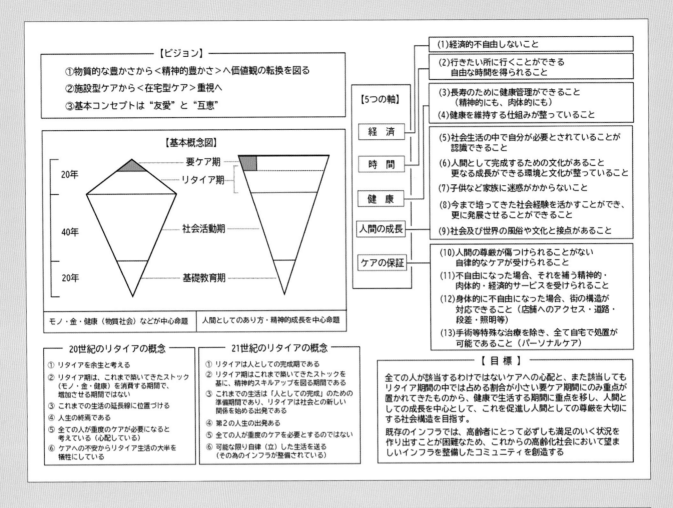

【ビジョン】
①物質的な豊かさから＜精神的豊かさ＞へ価値観の転換を図る
②施設型ケアから＜在宅型ケア＞重視へ
③基本コンセプトは"友愛"と"互恵"

【基本概念図】

20年　要ケア期
　　　リタイア期
40年　社会活動期
20年　基礎教育期

モノ・金・健康（物質社会）などが中心命題
人間としてのあり方・精神的成長を中心命題

【5つの軸】
経　済
時　間
健　康
人間の成長
ケアの保証

(1)経済的不自由しないこと

(2)行きたい所に行くことができる
　　自由な時間を得られること

(3)長寿のために健康管理ができること
　　（精神的にも、肉体的にも）

(4)健康を維持する仕組みが整っていること

(5)社会生活の中で自分が必要とされていることが
　　認識できること

(6)人間として完成するための文化があること
　　更なる成長ができる環境と文化が整っていること

(7)子供など家族に迷惑がかからないこと

(8)今まで培ってきた社会経験を活かすことができ、
　　更に発展させることができること

(9)社会及び世界の風俗や文化と接点があること

(10)人間の尊厳が傷つけられることがない
　　　自律的なケアが受けられること

(11)不自由になった場合、それを補う精神的・
　　　肉体的・経済的サービスを受けられること

(12)身体的に不自由になった場合、街の構造が
　　　対応できること（店舗へのアクセス・道路・
　　　段差・照明等）

(13)手術等特殊な治療を除き、全て自宅で処置が
　　　可能であること（パーソナルケア）

20世紀のリタイアの概念
① リタイアを余生と考える
② リタイア期は、これまで築いてきたストック
　（モノ・金・健康）を消費する期間で、
　増加させる期間ではない
③ これまでの生活の延長線に位置づける
④ 人生の終焉である
⑤ 全ての人が重度のケアが必要になると
　考えている（心配している）
⑥ ケアへの不安からリタイア生活の大半を
　犠牲にしている

21世紀のリタイアの概念
① リタイアは人としての完成期である
② リタイア期はこれまで築いてきたストックを
　基に、精神的スキルアップを図る期間である
③ これまでの生活は「人としての完成」のための
　準備期間であり、リタイアは社会との新しい
　関係を始める出発である
④ 第2の人生の出発ある
⑤ 全ての人が重度のケアを必要とするのではない
⑥ 可能な限り自律（立）した生活を送る
　（その為のインフラが整備されている）

【 目　標 】
全ての人が該当するわけではないケアへの心配と、また該当しても
リタイア期間の中では占める割合が小さい要ケア期間にのみ重点が
置かれてきたものから、健康で生活する期間に重点を移し、人間と
しての成長を中心として、これを促進し人間としての尊厳を大切に
する社会構造を目指す。
既存のインフラでは、高齢者にとって必ずしも満足のいく状況を
作り出すことが困難なため、これからの高齢化社会において望ま
しいインフラを整備したコミュニティを創造する

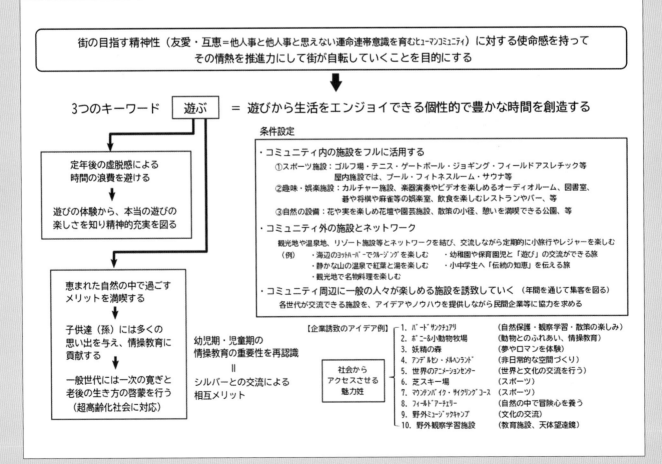

街の目指す精神性（友愛・互恵＝他人事と他人事と思えない運命連帯意識を育むヒューマンコミュニティ）に対する使命感を持って
その情熱を推進力にして街が自転していくことを目的にする

3つのキーワード　遊ぶ　＝　遊びから生活をエンジョイできる個性的で豊かな時間を創造する

定年後の虚脱感による
時間の浪費を避ける
↓
遊びの体験から、本当の遊びの
楽しさを知り精神的充実を図る
↓
恵まれた自然の中で過ごす
メリットを満喫する
↓
子供達（孫）には多くの
思い出を与え、情操教育に
貢献する
↓
一般世代には一次の寛ぎと
老後の生き方の啓蒙を行う
（超高齢化社会に対応）

幼児期・児童期の
情操教育の重要性を再認識
＝
シルバーとの交流による
相互メリット

条件設定
・コミュニティ内の施設をフルに活用する
　①スポーツ施設：ゴルフ場・テニス・ゲートボール・ジョギング・フィールドアスレチック等
　　　　　　　　　屋内施設では、プール・フィトネスルーム・サウナ等
　②趣味・娯楽施設：カルチャー施設、楽器演奏やビデオを楽しめるオーディオルーム、図書室、
　　　　　　　　　　碁や将棋や麻雀等の娯楽室、飲食を楽しむレストランやバー、等
　③自然の設備：花や実を楽しめ花壇や園芸施設、散策の小径、憩いを満喫できる公園、等
・コミュニティ外の施設とネットワーク
　　観光地や温泉地、リゾート施設等とネットワークを結び、交流しながら定期的に小旅行やレジャーを楽しむ
　（例）・海辺のヨットハーバーでクルージングを楽しむ　　・幼稚園や保育園児と「遊び」の交流ができる旅
　　　　・静かな山の温泉で紅葉と湯を楽しむ　　　　　　・小中学生へ「伝統の知恵」を伝える旅
　　　　・観光地で名物料理を楽しむ
・コミュニティ周辺に一般の人々が楽しめる施設を誘致していく　（年間を通じて集客を図る）
　　各世代が交流できる施設を、アイデアやノウハウを提供しながら民間企業等に協力を求める

【企業誘致のアイデア例】
社会から
アクセスさせる
魅力姓

1. バードサンクチュアリ　　　　　　（自然保護・観察学習・散策の楽しみ）
2. ポニー＆小動物牧場　　　　　　　（動物とのふれあい、情操教育）
3. 妖精の森　　　　　　　　　　　　（夢やロマンを体験）
4. アンデルセン・メルヘンランド　　（非日常的な空間づくり）
5. 世界のアニメーションセンター　　（世界と文化の交流を行う）
6. 芝スキー場　　　　　　　　　　　（スポーツ）
7. マウンテンバイク・サイクリングコース（スポーツ）
8. フィールドアーチェリー　　　　　（自然の中で冒険心を養う
9. 野外ミュージックキャンプ　　　　（文化の交流）
10. 野外観察学習施設　　　　　　　　（教育施設、天体望遠鏡）

街の目指す精神性（友愛・互恵＝他人事と他人事と思えない運命連帯意識を育むヒューマンコミュニティ）に対する使命感を持って
その情熱を推進力にして街が自転していくことを目的にする

3つのキーワード　働く　＝ ①健康と生きがいのための生産・流通・サービスの直接参加

②精神性を軸に共同体社会に奉仕するボランティア活動に参加する
（宗教的使命感を持つ ＝ 推進力が増す）

定年後の虚脱感による
時間の浪費を避ける

４時間の義務化労働による
新しい生活のメリハリのある
リズムづくり

老化制御のため適度な社会的負荷
（６０歳以上の６割近くが就業意識を持つ）

昭和６３年度予算案の閣議決定
産業・地域・高齢者雇用のプロジェクト
（サ・チ・コ プロジェクト）
計 1,143億円

条件設定 ①

・職住接近（自宅から仕事場まで近い、又は自宅で仕事ができる）
　　　　　（今までのキャリアを活かせる仕事の供給）
　　シルバータウン一帯のレジャー・スポーツ・カルチャー施設等の管理運営、自宅での執筆・研究など

・自給自足（自分たちのものを自分たちで賄いながら、社会へも給付していく）
　　主食となる米をはじめ、麦・野菜・果物・茶などを周辺農家から土地を借りて作る

・生産販売（加工施設から販売施設までを整備する）
　　A．高希少価値・高市場価値 ＝ 大学・研究機関・農業試験場等とネットワークし、
　　　　　　　　　　　　　　　　　　先端バイオ技術や革新的農業技術導入
　　B．シルバーマーケット＝メーカーと共同研究による商品の開発（例：シルバー仕様車、電話、テレビ等）

　　常識の枠を超えたジャンルへの挑戦 ＝ ロマンの創造

　　薬用植物園やわさび・スパイスなどの栽培、養蚕ファーム（シルク）など、グルメや観光価値が高い

条件設定 ②

・フィランソロピー社会の実践（博愛・友愛・社会奉仕・社会的貢献）
　　住民の健康な人々がグループで、半健康人の住民が健康な人に近い状態で過ごせるように手助けする

・地域おこし（高齢者の知恵とパワーを活かす～街づくりからサークル活動講師など）
　　昔から、親から子へと伝えられてきた伝統の技法を絶やすことなく孫の世代へ伝授していく
　　保存料理、薬事料理や玩具から生活小物づくりなどを、一般の休日に併せて開講していく

街の目指す精神性（友愛・互恵＝他人事と他人事と思えない運命連帯意識を育むヒューマンコミュニティ）に対する使命感を持って
その情熱を推進力にして街が自転していくことを目的にする

3つのキーワード　学ぶ　＝ 心の豊かさを深めコミュニケーションを拡げる文化・学習活動

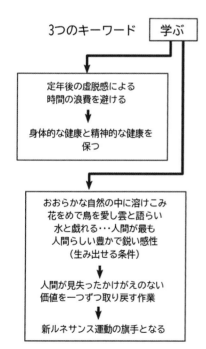

定年後の虚脱感による
時間の浪費を避ける

身体的な健康と精神的な健康を
保つ

おおらかな自然の中に溶けこみ
花をめで鳥を愛し雲と語らい
水と戯れる・・・人間が最も
人間らしい豊かで鋭い感性
（生み出せる条件）

人間が見失ったかけがえのない
価値を一つずつ取り戻す作業

新ルネサンス運動の旗手となる

条件設定

・幅広い選択肢を持つ
　　一人一人の住民のニーズを大切にし、少数でもできる限りの施設整備やサポートを行う

・地域社会とのコミュニケーション
　　シルバータウン周辺の地域社会に対し、施設利用などの門戸を拡げる

・一般社会との強い絆
　　大学やその他の教育機関などと協力体制を整え、優秀な講師の派遣や電波利用（リモート）による教育を行う

・表現の場、発表の場を持つ
　　マスコミなどと協力体を整え、定期的な発表や展示会などを行い、良識のある人々の注目を集める
　　※現在はではホームページやYoutube、SNS、リモート会議などで発表の場を設けることが可能

【カルチャー施設をベースに活動を行う】
　1．陶芸　　　　　　（定期的な展示・販売活動を行い、技術レベルが安定したら生産活動へ）
　2．木工芸・竹工芸　（定期的な展示・販売活動を行い、技術レベルが安定したら生産活動へ）
　3．染色・織物　　　（定期的な展示・販売活動を行い、技術レベルが安定したら生産活動へ）
　4．書　　　　　　　（定期的な展示活動を行う）
　5．絵画　　　　　　（定期的な展示活動を行う）
　6．楽器演奏　　　　（各地域のイベントなどにも積極的に参加する）
　7．踊り・ダンス　　（各地域のイベントなどにも積極的に参加する）
　8．合唱・詩吟　　　（各地域のイベントなどにも積極的に参加する）
　9．造園・盆栽　　　（街づくりや自宅の庭などで実行していく）
　10．リフォーム・DIY（自分の住まいを含めて手作り空間をつくる）

事業者やスタッフの一人一人が「我々のための、我々の参画による、理想の街づくり」という
意識を持って、1000人1000色の個性を尊重していく

↓

高齢化社会を迎え、もはや他人事では済まされなくなる定年後の生き方・暮らし方。
個人個人の夢や理想、また問題点を積極的に思考し、取り組んでいく広がりのある組織体制と
実現のための柱となる精神性を明確にして活動を行う。

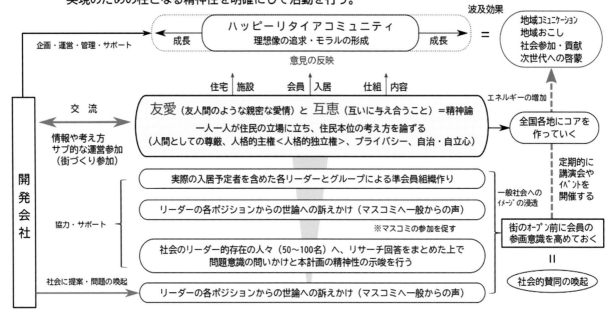

新生保システムを活用するシルバータウンの特長は、プライバシーを守り、しかも安心して
暮らせる住宅の＜居住権＞をはじめ、数々の施設利用権や特典を生涯受けられることです

↓

仮に55歳で新生保システムに入会した場合と、同じ金額で土地付一戸建を購入した場合を
同じ3,000万円という金額で比較すると、出費差額は20年後で4,047万円にもなります

条　件	月々の出費
3,000万円の 土地付一戸建 （購入時 55歳） 頭金：　　600万円 借入金：2400万円 公庫：　1200万円 銀行：　1200万円 銀行金利：7.68% 公庫金利：　5.4% 元利均等20年返済	毎月の返済額 182,400円
3,000万円の 新生保システム （入会時 55歳） 頭金：　　600万円 借入金：　　0円 金利：　　　0円 終身支払い	毎月の出費 毎月の掛金額 34,610円 （※）
出費差額	毎月差額：147,790円

開発会社
土地購入 ── 固定資産税　2.1万円 ＝ 年間 25万円÷12ヶ月
住宅建設 ── 修繕積立金　5.5万円 ＝ 年間 66万円÷12ヶ月
計　7.6万円

（返済金 支払い）
1年間　　2,189,000 円
20年間　43,776,000 円

20年後

（掛金支払い）
1年間　　415,320 円
20年間　8,306,400 円
※生命保険の掛金は
1992年当時のものです

20年間の返済（75歳）	10年間（85歳）
20年間の返済金　43,776,000 円 ＋ 頭金　　　　　　6,000,000 円 計　　　　　49,776,000 円 ＋ 固定資産税(20年) 5,000,000 円 合 計　　　54,776,000 円 ※建物の修繕費は除く	＜支出項目＞ 返済金　　　　　　　0 円 固定資産税　------------ 建物修繕・増改築・新築費 必要 ‥‥‥‥‥‥‥‥‥‥‥ ＜利益項目＞ キャピタルゲイン 土地費 約 3 倍

20年間の返済（75歳）	10年間の返済（85歳）
20年間の支払金　8,306,400 円 ＋ 頭金　　　　　6,000,000 円 計　　　　　14,306,400 円	10年間の支払金　4,153,200 円 20年間の支払金　8,306,400 円 ＋ 頭金　　　　　6,000,000 円 計　　　　　18,459,400 円
20年間の出費差額：40,469,600円	30年間の出費差額：36,316,400円
固定資産税　約 1,500 万円 修繕積立金　　1,400 万円 計　　　　　2,800 万円	固定資産税　約 750 万円 修繕積立金　　2,000 万円 計　　　　　2,750 万円

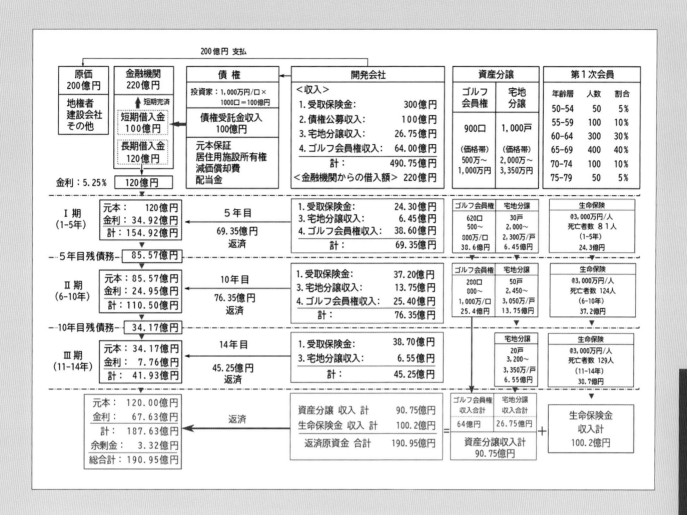

＜シルバータウンの資金の流れと構成＞

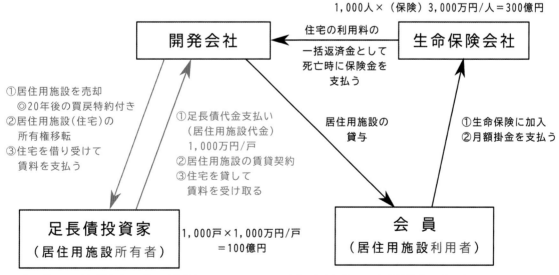

1,000人×（保険）3,000万円/人＝300億円

住宅の利用料の一括返済金として死亡時に保険金を支払う

開発会社

生命保険会社

①居住用施設を売却
◎20年後の買戻特約付き
②居住用施設（住宅）の所有権移転
③住宅を借り受けて賃料を支払う

①足長債代金支払い（居住用施設代金）1,000万円/戸
②居住用施設の賃貸契約
③住宅を貸して賃料を受け取る

居住用施設の貸与

①生命保険に加入
②月額掛金を支払う

足長債投資家（居住用施設所有者）

1,000戸×1,000万円/戸＝100億円

会員（居住用施設利用者）

(1) ◎ 居住用施設の減価償却費の利用（節税）
(2) ◎ 賃料収入＝配当金に相当
(3) ◎ 20年後の買い戻し特約
　　　（1,000万円/戸＝元本保証）
(4) ◎ 20年後の買戻時の譲渡税（差分）は、開発会社が負担
(5) ▲ 居住用施設（建物）の固定資産税は所有者が負担

(1) 生命保険の死亡時給付金の受取先を「開発会社」に指定する
(2) 生命保険加入時に頭金300万円を入金する（最低額）
(3) 存命で退去する場合、解約返戻金は「開発会社」に支払う
(4) 第2次会員以降は入会金の支払いが必要

シルバータウン「美奈宜の杜」企画書

ハッピーリタイヤコミュニティの 構築方法（特許申請内容）

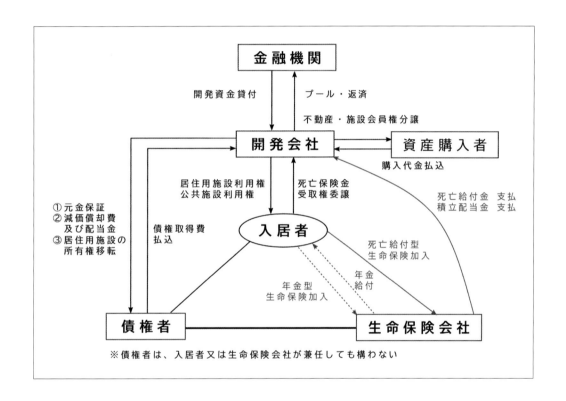

私たちが理想とするシルバータウン＝ハッピーリタイアコミュニティの原理・原則は
「友愛と互恵」です。この心が豊かな街をつくっていきます。
そこでは、「働・学・遊」の精神を柱に、健康な生活を送り、人生の完結を目指します。
人間としてお互いが助け合う「互恵主義」のまち、
それは高齢者の知恵や労働も社会全体の共有財産と位置づける、
現代の都市にとっての「コモンズ」です。
1,000戸のシルバータウンをつくるためには巨額の資金が必要になります。
また、そこに入居するためには、一定金額以上のお金が必要です。
このシルバータウンをつくる仕組みや資金の調達方法、
入居に必要な資金を「生命保険」によって調達する仕組みが
「ハッピーリタイアコミュニティの構築方法」です。

ハッピーリタイヤコミュニティの構築方法

債券の発行と、死亡保険金の受取人を開発会社とする生命保険と、コミュニティ開発時に建設した資産の売却による資金調達方法と、コミュニティ開発時の金融機関からの借入金の返済を所定期間据え置いたのち段階的に返済する方法とを採用することにより、コミュニティの利用権が、入居時に入った死亡保険金の受取人を開発会社とする生命保険の掛金を入居者が支払うだけで得られるようにしたことを特徴とするハッピーリタイヤコミュニティの構築方法。

■産業上の利用分野

本発明は、高齢者が入居時に多額の一時金を支払わなくても入居することができるハッピーリタイヤコミュニティを構築するための方法に関する。

■従来の技術

従来、高齢者が民間のコミュニティ施設に入居する場合の利用料の負担方法としては、終身利用権方式、分譲方式、年金方式等各種のものがある。

■発明が解決しようとする課題

しかしながら、従来の方式はいずれも入居者は入居時に一時金として多額の費用を支払わなければならないので、この費用の支払を行なうことができる高齢者しかコミュニティに入居することができないという問題があった。

本発明は、従来のこのような問題点に鑑み、本発明者が永年の研究の結果完成したもので、その目的とするところは、入居時に多額の一時金を支払うことができない高齢者であってもコミュニティの利用権が得られるようにしたハッピーリタイヤコミュニティの構築方法を提供することにある。

■課題を解決するための手段

前記目的を達成するための手段として本発明のハッピーリタイヤコミュニティの構築方法では、債券の発行と、死亡保険金の受取人を開発会社とする生命保険と、コミュニティ開発時に建設した資産の売却による資金調達方法と、コミュニティ開発時の金融機関からの借入金の返済を所定期間据え置いたのち段階的に返済する方法とを採用することにより、コミュニティの利用権が、入居時に入った死亡保険金の受取人を開発会社とする生命保険の掛金を入居者が支払うだけで得られるようにした方法を採用した。

■作用

本発明のハッピーリタイヤコミュニティの構築方法では、債券の発行と、死亡保険金の受取人を開発会社とする生命保険と、コミュニティ開発時に建設した資産の売却という資金調達方法と、金融機関への返済の所定期間据置き段階的返済方法とを組み合せたので、入居者は入居時に入った死亡保険金の受取人を開発会社とする生命保険の年齢に応じた毎月の掛金を支払うだけでコミュニティ内の一戸建て入居者用住宅に入居し、かつコミュニティ内に建設されたテニスコート・ゴルフ場・病院等の各種のコミュニティ施設を利用することができる。又、本発明で採用している資金調達方法と借入金返済方法は、いずれも現行の法制度の下で確立され、現在、それぞれ単独で利用されているものであるから、これらの制度を組み合わせることに何らの障害もない。

尚、債券の発行は、開発会社がコミュニティの開発段階で行なうもので、これによりコミュニティ内の入居者用住宅の建設費に相当する短期借入金を返済するものである。生命保険は債券により返済した借入金の残金（長期借入金）及びその金利を返済するためのものである。資産の売却は生命保険の死亡保険金の支払いでは不足する資金を補塡するための

もので、コミュニティの開発段階で一般住宅宅地・ゴルフ場・ホテル・ヨットハーバー等の資産を建設しておき、この資産を段階的に売却することによりキャピタルゲインを得ながら前記死亡保険金の不足を補塡するものである。

尚、この資産の売却により生命保険の死亡保険金のプラス・マイナスを調整することができる。金融機関への返済の所定期間据置き段階方式は、死亡保険金については統計資料による入金予定を組んでいるため、現実には死亡者数が変動する可能性がある。そのため、この危険性を回避するために行なうものである。

■実施例

以下、本発明のハッピーリタイヤコミュニティの構築方法の実施例を図面に基づいて詳細に説明する。尚。以下の実施例では60万坪の土地に年齢制限（50歳以上）をした入居者用の戸建て住宅1,000戸、分譲宅地100区画、9ホールのゴルフ場、公共施設等を建設する場合を例に挙げて説明する。

第1図は本発明のハッピーリタイヤコミェニティの構築方法の実施例を示す全体説明図、第2図は同上の実施例における借入金返済計画を示す説明図である。

[第1図]

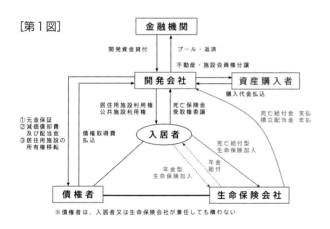

※債権者は、入居者又は生命保険会社が兼任しても構わない

A. 開発費用の借入れ

開発会社は前記借入金を資金として入居者（高齢者）用の戸建て住宅、入居者用の各種コミュニティ施設及び一般客を対象とした分譲用宅地・ゴルフ場を建設し、それらを管理運営する。

開発会社はコミュニティのオープンまでに要する下記の開発費用の全額を銀行等の金融機関から借入れる。尚、本実施例ではこの借入総額を220億円と

した。
①開発直接費用（原価）

企画・開発・設計費、用地費、造成費、建築費、施設整備費等開発に要する費用のすべてが含まれる。本実施例では200億円とした。
②開発会社経費

オープンまでに開発会社が必要とする経費（人件費、公租公課、期中金利、広告宣伝費、利益等）のすべてが含まれる。
③運営費

オープン後約10年間分のコミュニティの運営費用をオープン時にプールする。尚、②開発会社経費と③運営費の総額は開発費用の約10％相当額を目安とする。本実施例は20億円とした。

B. ハッピーリタイヤコミュニティの建設

開発会社は前記借入金を資金として入居者（高齢者）用の戸建て住宅、入居者用の各種コミュニティ施設及び一般客を対象とした分譲用宅地・ゴルフ場を建設し、それらを管理運営する。

C. 借入金の返済期間

借入金の返済期間は、第2図に示すように、オープン時に短期借入金を返済した後、返済猶予期間をそれぞれ5年程度設けて、残りの長期借入金及び金利を3回に分けて返済する。尚、本実施例では3回目の返済猶予期間を4年としている。

[第2図]

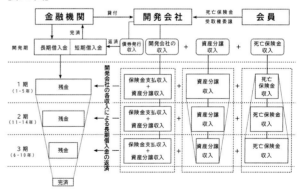

D. 返済資金調達の方法

借入金の返済は以下の方法で調達した資金により行なう。
1. 債券発行による資金調達
①目的

入居者の入居時の負担を軽減するため、入居者に限定せず、広く一般の投資家から資金を集める。

尚、本実施例ではこの資金によりオープン時の短期借入金の返済を行なっている。

②募集内容

(1)募集期間

オープン前の開発許可を受けた後からオープン時までの期間とする。

(2)募集金額・口数

入居者用住宅の建設費の総額に相当する金額を募集金額とする。本実施例では1戸当たりの建築費を1,000万円と仮定して総額100億円とした。募集口数は1,000口程度を目安とし、本実施例では募集金額が100億円であるから1口1,000万円とした。

(3)債券の対象

コミュニティ内の入居者用住宅（原価）のみを対象とし、公共施設、土地及び外構等は含まない。尚、債券者には前記入居者用住宅の所有権を移転する。

(4)債券の配当金及び元本の返済

債券者は自己の持ち分に対する減価償却費を受ける。開発会社は借入金の返済完了後（黒字転換後）にその利益の中から債券の元本返済と高利の配当金を支払う。

2.生命保険による資金回収

①目的

一般的な住宅取得の方法では銀行ローン等の借入れを始めとして経済的負担が大きくなる。そのため住宅費に相当する額を生命保険による死亡保険金によって支払うとする体裁をとることによってローン負担を月々の掛金支払いに置き換え、経済的負担の軽減を図ることを目的とする。尚、生命保険の掛金は入居者の年齢により相違し、入居者が若ければその分掛金が安くなる。

②方法

(1)入居者は入居時（契約時）に住宅費に相当する一額の死亡給付金の生命保険に加入する。死亡保険金の額は、コミュニティの総原価（土地費、造成費、建築費及び経費の総額）と予定入居者数を目安として算定する。本試算では3,000万円/世帯とした。

(2)この生命保険の月々の掛金の支払いはそれぞれの入居者が年齢に応じた掛金を支払うことにより行なう。掛金の支払方法として頭金を使用するかどうか等の支払方法は入居者の自由とする。

(3)死亡給付金及び積立配当金の受取人は開発会社とする。

③返済計画

(1)入居者の死亡時に死亡給付金（試算のケースでは3,000万円）を開発会社が受取り、返済資金としてプールする。

(2)想定される入居者の年令構成

入居世帯総数を1,000世帯と仮定して世帯主の年齢構成をおおむね下記の表のようにする。

年　齢	人　数	割　合
50〜54	50	5%
54〜59	100	10%
60〜64	300	30%
65〜69	400	40%
70〜74	100	10%
75〜79	50	5%

(3)想定した入居者の年齢構成と死亡率データ（生保協会）による試算により、

(a)オープンから5年間で死亡者81人、死亡給付金累計24.3億円を5年目の第1回返済資金の一部とする。

(b)6年目から10年目で死亡者124人、死亡給付金累計37.2億円を10年目の第2回返済資金の一部とする。

(c)11年目から14年目で死亡者129人、死亡給付金累計38.7億円を14年目の最終回返済資金の一部とする。

④返済終了後の死亡給付金及び積立配当金の取り扱い

開発時の借入金の返済がおよそオープン後14年目で完了するが、その後（15年目以降）の死亡給付金及び積立配当金は、(a)開発会社の利益、(b)債券購入者への配当金、(c)コミュニティの運営費、(d)住宅の立替費、(e)債券の元本の返済等に充当する。

3.一般向けの宅地分譲による資金回収

①目的

返済期間を短縮することを目的として、利益を

得やすい宅地分譲を、キャピタルゲインを活かせるタイミングで行なう。

②内容

(1)コミュニティの開発時に、高齢者向け住宅以外に100区画の宅地を余剰に造成する。

(2)キャピタルゲインを見込んで、オープン後3年から12年目までの10年間に年間10区画ずつ分譲する。

(3)分譲価格を年次毎に上昇させる。

③返済計画

(1)オープン後5年目の第1回返済時に3年目から5年目までの分譲による売上累計6.45億円を返済資金の一部とする。

(2)オープン後10年目の第2回返済時に6年目から10年目までの分譲による売上累計13.75億円を返済資金の一部とする。

(3)オープン後14年目の第3回（最終）返済時に11年目と12年目の分譲による売上累計6.55億円を返済資金の一部とする。

4.ゴルフ場会員権販売による資金回収

①目的

ゴルフ会員権を10年間に亘ってキャピタルゲインを上げながら販売し、その売上金を返済資金として活用し、返済期間の短縮を図ることを目的とする。

②内容

(1)オープン時に9ホールのゴルフ場をコミュニティ内にオープンする。

(2)ゴルフ場会員権を900口とし、オープンから10年間に亘って販売する。

(3)会員権900口の販売計画は次のとおりとする。1年目を200口とし、年々減少させながら10年目45口の販売で完了する。会員権の販売価格は1年目500万円/口からスタートし、10年目には1,000万円/口まで上昇させる。

③返済計画

(1)オープン後5年目までの販売売上の合計38.6億円を5年目の第1回返済金の一部とする。

(2)オープン後6年目から10年目までの販売売上の合計25.4億円を10年目の第2回返済金の一部とする。

以上、本発明の実施例を詳述してきたが、具体的な構成はこの実施例に限定されるものではない。

例えば、実施例では、売却資産を宅地分譲とゴルフ会員権としたが、これ以外に住宅宅地、ホテル、ヨットハーバー、テニス場等の会員権のように売却可能なものであればどのようなものであってもよい。

又、実施例では、借入金の返済方法をオープン時に短期借入金の全て、残りをオープンから5年目、10年目、14年目の3回で返済するとしたが、これに限定されるものではなく返済方法は任意であり、又、債券額、生命保険の死亡給付金、宅地の分譲価格、ゴルフ会員券の金額等も実施例に限定されるものではない。又、入居世帯数もコミュニティの規模や条件等により変わる可能性があり、又、入居世帯の世帯主の年齢構成もいろいろであり、そのときは死亡給付金累計が変わることになる。尚。実施例の死亡保険金の入金予定は統計資料を基にして算出しているため、現実にはプラス・マイナスが生じる可能性があるが、資産売却の方法を使用することにより返済計画を予定に合わせて補正、調整することができる。すなわち死亡保険金の入金が多い場合は資産売却を減らし、逆に少ない場合は資産売却を増やし返済資金を調整することができる。

■発明の効果

以上説明してきたように本発明のハッピーリタイヤコミュニティの構築方法にあっては、高齢者が生命保険の毎月の掛金を支払うだけで安心して老後を楽しめるハッピーリタイヤコミュニティをきわめて容易に構築することができるので、高齢化社会を迎えようとする我が国にはきわめて有用なものである。

第 **4** 章

赤字国債の解決策

赤字国債を消す方法
（特許申請内容）

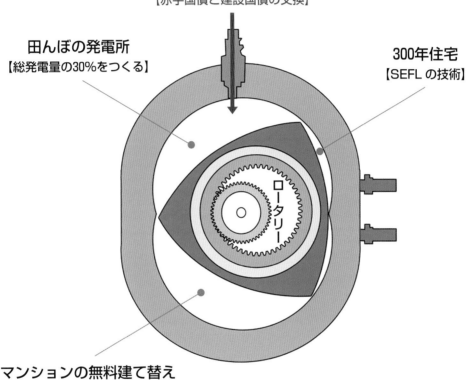

燃料噴射＝赤字国債100兆円の消し方
【赤字国債と建設国債の交換】

田んぼの発電所
【総発電量の30%をつくる】

300年住宅
【SEFL の技術】

ロータリー

マンションの無料建て替え
【お金の時間割】

赤字国債の「解決策」です。
日本の累積する赤字国債を、
新たに発行する建設国債と交換することで減らすとともに、
日本が抱える「年金問題」や
「エネルギー問題」を解決するために使用する仕組みを説明します。
「3つの用意（政策）」は、回転しながら影響を与えるので、
あたかもロータリーエンジンのように働きます。
根本にある目標は「平和」です。
社会的な仕組みなので「特許」として登録はできませんが、
特許庁には申請しています。

発明の名称
赤字国債を消す方法

増大を続ける日本の赤字国債を建設国債と交換することによって、日本銀行が保有する国債の所有残高を減少させるとともに、発電の燃料となっている石炭などの化石エネルギーから脱却し、再生可能エネルギーを普及させて脱炭素社会を実現しながら、国民が支払う電気代を支払う仕組みにより、電気代金として公平に負担することにより、建設国債の25年返済により年金の財源も返済金によって確保する仕組みと、赤字国債と建設国債の交換の仕組みと田んぼにおける発電を普及させる為の仕組み。その仕組みは、エネルギーと年金と赤字国債の3つを組み合わせて、膨張とその吸収の方法を編み出すお金の発明である。

■技術分野

この発明は、日本政府の発行済みの赤字国債を建設国債との等価交換で解消し、交換で得た建設国債の資金を活用して再生可能エネルギーの開発資金として年金より投資を行い、返済資金を年金の収入源とする方法に関するものである。

■発明が解決しようとする課題

現在、日本政府の国債発行残高は約1,000兆円、地方債の発行残高が約200兆円、国と地方を合わせるとその総額は約1,200兆円に達する。2020年度もコロナウイルス対策により約100兆円の借入を増やすなど、年々増加している状況である。一方、日本銀行は金融緩和策として、市中銀行などから国債の購入を続けており、2021年3月末の時点で505兆2,235億円、国債発行残高の約50%を保有している。返済する方法がないので、この残高は金融緩和策により消えることなく増え続けていく。「自国通貨建ての国債で、保有者がほとんど日本国内であるためデフォルトはあり得ない」、「政府が日銀に償還しても、日銀の余剰金は国庫納付金として最終的には国

に環流するので問題ない」、「政府の金融資産が約600兆円あり、日本の対外金融資産が約360兆円あるので、国の貸借対照表上で正味の負債はわずかである」、「家計の資産が約1,900兆円あるから問題ない」などの諸説・見解もあるが、国債の発行残高は日本のGDPの2倍を超えており、主要先進国の中で最も高い水準にあり、国債がデフォルトを起こす前に、早急に国債の発行残高を減少させる必要がある。

■課題を解決するための手段

①以上の課題を解決するために、本発明は、日本政府が発行できる「建設国債」を発行し、日本銀行が金融緩和によって保有している同額の赤字国債と交換することにより、日銀が保有する赤字国債を建設国債との交換により減らすこととした等価交換の仕組みである。尚、建設国債の発行は、投資目的を決めたものに限定する。

②日本銀行は「建設国債」と同額の紙幣を増刷し、GPIF（年金積立金管理運用独立行政法人）に無償で譲渡する。

③GPIFは日本銀行から無償で得た資金を、田んぼの発電所の設備投資に活用する。具体的には、GPIFは発電を行う農家に無利子融資を行い、農家は売電収入からGPIFに25年で返済する。

④GPIFは、農家から返済される資金を受け取る。返済期間は25年とする。GPIFは、返済された資金を再度、年金の財源とする。

⑤国は、農家から通常の売電価格に10円/kWhを上乗せした金額で発電した電気を買い取る。ここでの売電価格とは、送電線の託送料や電力会社の経費を除いた発電原価のことである。例えば、石炭火力発電であれば、原料の石炭の輸入費用や火力発電所の稼働費用の合計を石炭火力発電の発電量で割り戻した単価のことである。

⑥電気の最終消費者（エンドユーザー）は、電力料金を農家に支払う。

⑦既存の電力会社は、農家から再生可能エネルギーを購入するので、主に石炭（石油やLNG）などの化石燃料を発電量に応じて輸入して購入する必要がない。

■発明の効果

①日銀が買い入れた赤字国債を建設国債と等価交換することにより、建設国債の現金化を行い、再び有効な資金として利用できる。

②化石燃料の使用量が減少し、再生可能エネルギーが普及することで、脱炭素社会が実現できる。輸入する化石燃料を発電量に応じ減少させることができ、国際収支が良くなる。尚、日本の総発電量の30％を最終目標としている。

③投資した赤字国債の交換により建設国債に変わることで、再び、田んぼの発電所へ投資を行い、電気代として投資した元金返済を受けることになり、年金の基礎年金相当の財源を確保することができる。

【次頁の図について】

　図1は、実施の形態における架空の等価交換所による交換の仕組図である。

　図2は、実施の形態における資金の循環図である。

　図3は、実施の形態における年金原資返済の説明図である。

　図4は、本発明の原資返済による赤字国債で基礎年金を相殺する図である。

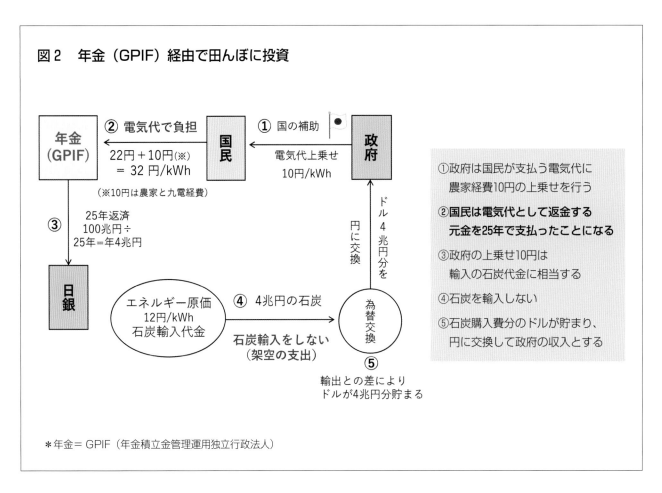

図1 赤字国債と建設国債を交換する

政府

日銀

建設国債 100兆円の発行 ②

金融緩和で買い取った 赤字国債 100兆円 ①

交換

赤字国債
交換により消滅 ③

建設国債
所有 ④

①金融緩和で日銀に赤字国債が貯まる
　これを消滅する方法が「交換」

②政府は建設国債を発行できる

③赤字国債と建設国債を等価交換することで
日銀が保有する赤字国債を消滅させる

④日銀は建設国債を所有することになる

図2 年金（GPIF）経由で田んぼに投資

年金
（GPIF）

② 電気代で負担
22円＋10円(※)
＝ 32 円/kWh
（※10円は農家と九電経費）

国民

① 国の補助 🇯🇵

電気代上乗せ
10円/kWh

政府

③ 25年返済
100兆円÷
25年＝年4兆円

日銀

エネルギー原価
12円/kWh
石炭輸入代金

④ 4兆円の石炭

石炭輸入をしない
（架空の支出）

ドル4兆円分を 円に交換

為替交換 ⑤

輸出との差により
ドルが4兆円分貯まる

①政府は国民が支払う電気代に
　農家経費10円の上乗せを行う

②国民は電気代として返金する
元金を25年で支払ったことになる

③政府の上乗せ10円は
　輸入の石炭代金に相当する

④石炭を輸入しない

⑤石炭購入費分のドルが貯まり、
　円に交換して政府の収入とする

＊年金＝ GPIF（年金積立金管理運用独立行政法人）

図3　国民は電気で返済

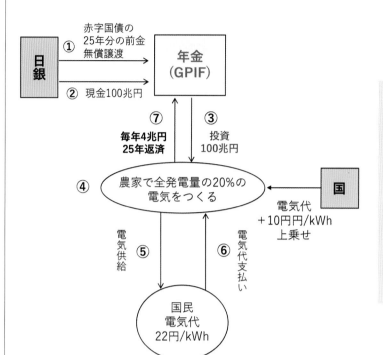

①日銀は年金へ建設国債を無償譲渡する

②年金は国債と現金の交換を行う

③年金は農家へ投資を行う＝田んぼの発電所

④**農家は田んぼで全発電量の20%を発電する**

⑤国民へ電気を供給する

⑥**国民は公平に電気代として**
　その対価を支払う

⑦農家は25年で年金へ
　元本返済（100兆円）を行う

図4　年金（GPIF）は日銀に返済

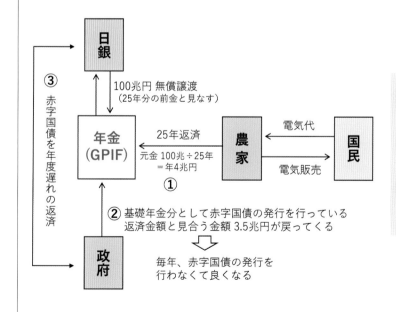

①**農家は受け取った電気代で**
　元金を25年で返済する（年4兆円）

②政府は年金の不足分として
　赤字国債を発行する（4兆円）

③年金は受け取った電気（投資返済）により
　単年度で赤字国債を戻すことになる
　（支払いをする）

「バブル経済」とは何だったのか

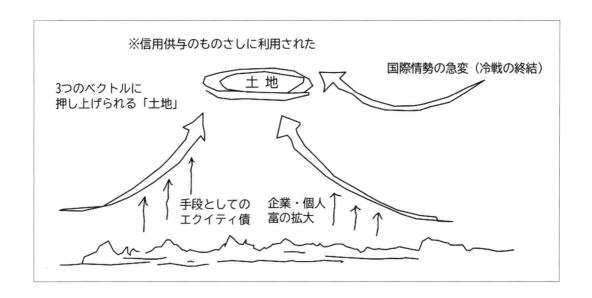

この節は、1986年12月から1991年2月にわたる
「バブル経済」とは何だったのかを振り返ります。
当時、異常な景気に不信感を抱き、
1992年に福岡市のマンション購入者を約2,000件調査した結果、
実需ではなく、投資または投機的なものだったことがわかりました。
調査当時、社会的に「バブル」という認識はありませんでした。
この調査結果から危惧を抱き、デベロッパーや銀行に手じまいすることを諫言しましたが、
聞き入れられず、数社を残しほとんどの地場のマンションデベロッパーが姿を消しました。
当時（1993年）まとめたレポートが「バブルクリアプラン」です。
この節では、「バブルクリアプラン」から、
バブル経済の実体について考察した部分を抜粋して掲載します。

「バブルクリアプラン」の全文は当社の
ホームページでご覧いただけます。
http://www.fari.co.jp/archives.html

きっかけ

　福岡の中央区赤坂の出来事で、何かおかしいと気がつきました。キャバレー赤坂の跡地が坪1,800万円で売れたのです。周りの地価はせいぜい坪200万円前後。10倍の価格です。これが口火となって急に土地の売買が始まり、地価が急上昇していきました。付き合っているデベロッパー経営者の金回りが良くなり出しました。

　事務所があるシャトレけやき通りは等価交換でつくりました。土地の評価は、当時坪120万円でした。住宅情報誌でも人気第1位の通りです。バブルの終盤、けやき通りの地価は坪2,300万円の高値で売買されました。バブル後の福岡は、まるで大型の台風が過ぎたかのようでした。訳が分からなくなって、何が起きたのか知りたくなり、調査を始めました。以下は、当時調べたことの報告であり、私なりのバブルの理解です。

　まず、ファミリーマンション約1,000戸、ワンルームマンション約1,000戸、計2,000戸以上の登記簿を調査しました。調査の内容は、登記簿を閲覧して住所を調べ、マンションを購入した人にアンケートを送付するというものです。アンケートの内容は、①どこの人が購入したのか、②購入動機は何か、③購入資金はどうしたのか、などです。予想に反して、正直な回答が返ってきました。

バブル期のマンション調査

■どこの人が購入したのか

　図のように、ワンルームタイプのマンションの購入者の居住地は、首都圏と近畿圏を合わせると50％以上で圧倒的に多いという結果でした。福岡県内は約30％、その他が約10％です。東京の購入者が多いのは、福岡のマンションが東京より30％程度安い販売価格だったことが要因の一つとなっています。利回りは6％程度だったとしても、福岡市の賃貸需要は根強く、空き家リスクが低いのと、後述する損益通算による節税目的が合わさって、福岡市への投資が有利だったからです。

■購入動機は何か、年収は？

　第1位は個人にとっての節税目的です。購入者の多くはサラリーマンで、平均年収は800万円台でした。方法としては、損益通算を利用するもので、所得税を圧縮してマンションを購入する形になっていました。つまり、不動産所得は経費を計上して赤字とし、給与所得の所得税を浮かす節税なので、賃貸利回

■ワンルーム購入者の居住地

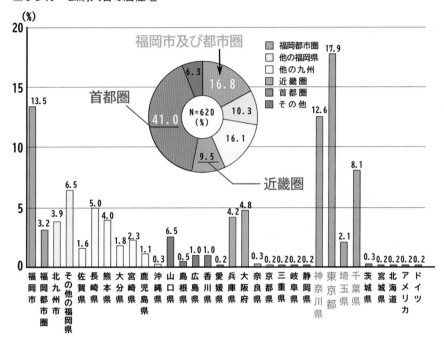

■ファミリータイプ購入者の居住地

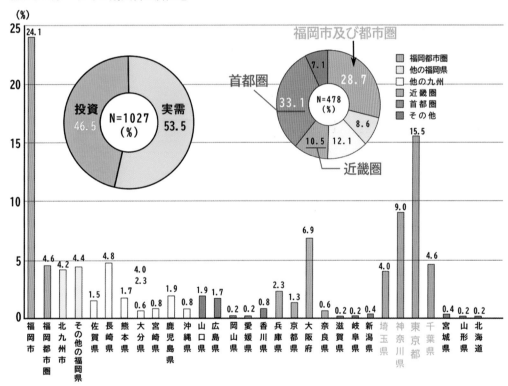

りは気にしていない人が多いようです。不動産所得の赤字は、経費の中に減価償却費があるので、実際は少なくなります。

3 購入資金はどうしたのか

80%以上の人が、ローンによる分割払いで購入していました。低金利の金融情勢を反映しています。投資用の住宅なので、市中銀行からではなく、主にノンバンク経由での調達でした。ただし、現金一括払いの人もいました。

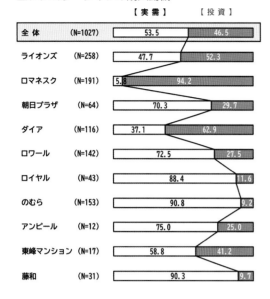

■ファミリータイプの購入動機

【実需】／【投資】

- 全体 (N=1027) 53.5 / 46.5
- ライオンズ (N=258) 47.7 / 52.3
- ロマネスク (N=191) 5.8 / 94.2
- 朝日プラザ (N=64) 70.3 / 29.7
- ダイア (N=116) 37.1 / 62.9
- ロワール (N=142) 72.5 / 27.5
- ロイヤル (N=43) 88.4 / 11.6
- のむら (N=153) 90.8 / 9.2
- アンピール (N=12) 75.0 / 25.0
- 東峰マンション (N=17) 58.8 / 41.2
- 藤和 (N=31) 90.3 / 9.7

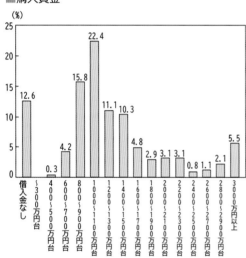

■購入資金

デベロッパー視点のバブル経済

一方、マンションを供給しているデベロッパーはというと、福岡の特徴として、地場の企業が多く、在京の大手デベロッパーがあまり参入していないことが挙げられます。

当時、地方銀行3行が融資していた地場企業13社の融資残高を見ると、3行合計で約601億円となっていました。その他の金融機関を合わせると、融資合計は約3,223億円なので、サブリースなどの銀行本体以外からの借入が大半を占めていたことが分かります。

この地場企業上位13社のうち、バブル崩壊後は7社が倒産して、市場から姿を消しています。なお、13社のうち5社は、私の会社（設計事務所）と付き合いがありました。

13社のうち、第1位で約945億円を借り入れていたA社に対して、3行本体の融資比率は合計で0.1％と非常に少なかったことが象徴的です。

銀行視点のバブル経済

前述の地場企業13社に対する3行の融資割合は、α銀行50％、β銀行30％、γ銀行20％の割合で、各銀行の規模（預金残高）に比例しています。上位13社は全て100億円以上の融資額となっています。バブル前の借入はせいぜい10億円程度でした。そのうち、上位5社で融資額の80％を占めています。

3行ともノンバンク経由での融資を行っています。このうち、α銀行（45.6％）とγ銀行（42.05％）は約半数がノンバンク経由でしたが、β銀行は約11.2％とノンバンク経由の融資が少なくなっています。なお、銀行の調査は決算報告書などの公表されているデータを使用しました。

バブル崩壊期の「不動産向けの総量規制」と「BIS規制」によって、金融機関はデベロッパーに返済を求めました。しかし、企業は土地を高値で仕入れており、短期の売却は値引きにより大幅な損切りが発生します。元金を返すに返せず、金利は膨らみ、地場デベロッパーは体力がないため、淘汰されます。福岡の地場デベロッパーで借入金が多い13社のうち、7社は銀行からの追加融資を受けられずに、1〜3年で倒産していきました。

一方、国は巨額の不良債権を抱えた金融機関大手15行に総額7.5兆円の公的資金を注入して、金融機関のみ救済しました。

■デベロッパー別融資金額一覧

No	デベロッパー名	地場銀行3行による融資		サブリースによる融資（3行系列以外も含む）		借入金合計
		金額	比率	金額	比率	
1	A　社	9,100万円	0.10%	944億1,089万円	99.90%	945億0,189万円
2	B　社	113億3,000万円	32.54%	234億9,000万円	67.46%	348億2,000万円
3	C　社	45億6,900万円	13.20%	300億4,500万円	86.80%	346億1,400万円
4	D　社	58億9,099万円	19.48%	243億5,631万円	80.52%	302億4,730万円
5	E　社	0	0.00%	199億3,492万円	100.00%	199億3,492万円
6	F　社	22億4,800万円	15.07%	149億1,850万円	84.93%	171億6,650万円
7	G　社	5億7,934万円	3.44%	162億7,096万円	96.56%	168億5,030万円
8	H　社	54億9,919万円	34.91%	102億5,546万円	65.09%	157億5,465万円
9	I　社	76億3,000万円	48.98%	79億4,900万円	51.02%	155億7,900万円
10	J　社	11億4,623万円	7.88%	134億0,873万円	92.12%	145億5,496万円
11	K　社	72億8,000万円	50.78%	70億5,600万円	49.22%	143億3,600万円
12	L　社	35億9,000万円	29.21%	86億9,900万円	70.79%	122億8,900万円
13	N　社	102億6,000万円	88.27%	13億6,350万円	11.73%	116億2,350万円
計		601億1,375万円	18.09%	2,721億5,827万円	81.91%	3,322億7,202万円

■不動産市場に流入した資金

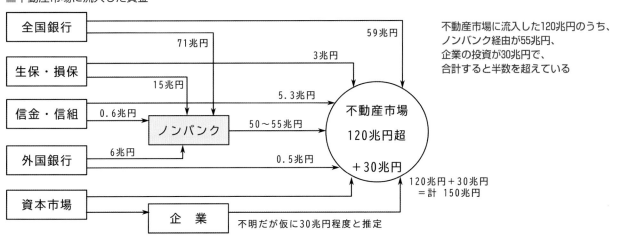

不動産市場に流入した120兆円のうち、
ノンバンク経由が55兆円、
企業の投資が30兆円で、
合計すると半数を超えている

資料：大蔵省「金融機関の不動産向け融資調査」（1992年3月3日）などから作成
　　　「東洋経済」1992年12月3日号より

バブル経済の実態

　マンションの購入者の調査とデベロッパー・金融機関の調査から、徐々にバブルの様子が分かりかけてきました。そこで、今後、自分の会社がどのような方向に進むべきか、何を行うべきかを考えました。次頁の図は、それをチャートにまとめたものです。「自由と平和」を中心とする世界観・歴史観とし、3つの方向性を決めました。それは①まちづくり、②300年住宅、③シルバータウンです。現在はこれを発展させ、「エネルギーと食糧の自給化」「マンションの長命化と無料建て替え」「シルバータウン」になっています。

　159頁以降では、当時作成した「バブルクリアプラン」から、バブルの根本的な原因について考察した部分を掲載します。

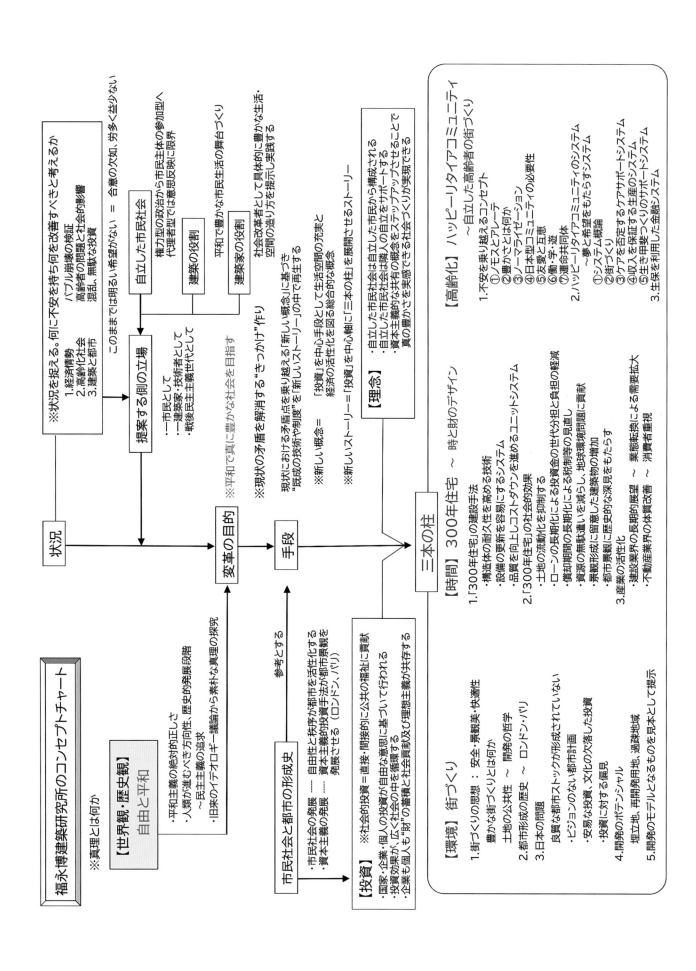

バブル経済とは何だったのか

　近年、バブルの原因について様々な意見が発表されている。しかし、どの意見でも共通して言えることは、住宅産業について何も述べられていないということである。

　これまで、日本の経済成長に非常に貢献・寄与してきた住宅産業が、事実上崩壊しつつある今、社会的に問題とならないことが不思議な程である。確かに、住宅産業がこれまで発言しなかったことも事実であるが、国際金融市場において行き場を失っていた巨額の資金が日本に集中する過程で、土地が企業の「信用供与の為のものさし」として利用されたことに「土地に絡むバブル」の真の根本原因があるため、ここでその論点を明らかにする。

３つの大きな潮流
機関投資システム・利益への欲望・国際情勢の急変

　バブルの形成と崩壊の過程について、根底にある大きな潮流について述べる。まず明らかにしておきたいことは、本レポートが「バブルは土地問題ではなく、金融システムの問題である」という前提のもとに各問題を指摘している、ということである。

■金融の自由化と国際化

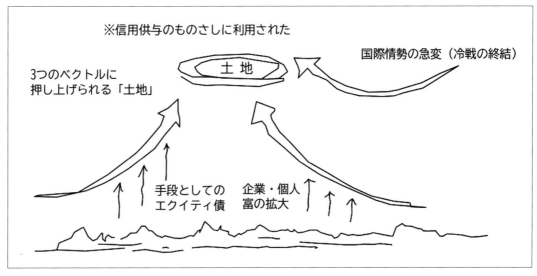

以下、バブル経済を促進した３つの大きく力強いベクトルについて述べていくが、それらが起こりえた共通の基盤は、国際的な金融の自由化と国際化である。国際的な資本の拡大と、それらが自由に移動できる金融環境が基盤となって、そこに大きな３つのベクトルが働いてバブルを創り上げたといえる。

　３つのベクトルとは、第１には巨大な資金を運用する機関投資家による市場支配と、その資金が一瞬のうちに集中・移動する投資システムへの変化であり、第２には一流企業による本業以外の利益への欲望であり、第３には冷戦の終結と共産主義の崩壊に代表される国際情勢の激変である。この３つの大きな潮流が、金融の自由化という共通基盤の上で合流し、実体経済以上の「資金」を動かしてバブルを創出した。

■第１の潮流──機関投資システム

　資本主義の成熟に伴って先進国を中心に、企業や個人に富が蓄積されていった。そして蓄積先である銀行は巨額の資金を運用することとなった。また、社会情勢の不安を背景に大きくなった生命保険や年金（バブル期の日本においては特に養老年金）等の福祉システムによって、巨額の資金が蓄積した。

　これらの資金を運用する「機関投資家」の市場占有率は、イギリスでは95％、アメリカでは70〜80％、日本でも60〜70％になっており、しかも年々その比重は高まってきている。そしてこれら「機関投資家」の資金は、利潤を求めてコンピューターを介して、一瞬のうちに集中し、市場を押し上げることとなる。離散する場合も同様で、市場に不安が生じると瞬間的に資金を引き上げていく。このように機関投資家が動かす資金の巨大な集中とスピードの速さが、短期的な利益を求め、世界経済を突き動かす大きな強さとなったことが第１の潮流である。

■第２の潮流

　戦後、日本企業は設備投資を行いながら、生産性の向上を図り、２度に亘るオイルショック等に代表される不況を克服して急成長を遂げてきた。その結果、国際競争力は飛躍的に上昇し、貿易黒字の増大に伴い急激に利益が増加して、国際的な企業の信用力は強大になった。しかし、設備投資による生産性の向上も限界に近づき、これ以上急激な利益の拡大は望めなくなったこと、国際経済のバランスのために輸出圧力がかかるとともに、円高によって本業での利益が圧迫されるようになった。そのため、本業での利益減少分を補填する目的で、一流企業や国際的な企業ほど本業以外の株や土地といった金融商品に利益を求めていくこととなった。この「企業による本業以外の利益を求めた欲望」の強さが第２の潮流である。

株や土地といった金融商品に投資するための資金調達の手段として、先に述べた企業の信用力を背景として、<u>低利で資金調達を行うエクイティファイナンス</u>をあげることができる。エクイティ債は、<u>国内市場では転換社債が、海外市場ではワラント債が、バブルが始まった1986年から急激に増加した。</u>そして、1989年には全資金調達のうち海外市場からの調達が40％に達し、この傾向は年々増加した。しかし、<u>バブルの崩壊過程で起きた株価の暴落で、企業はエクイティファイナンスの償還財源を資産の処分や借入で確保しなければならない。</u>

■エクイティ債の償還予定

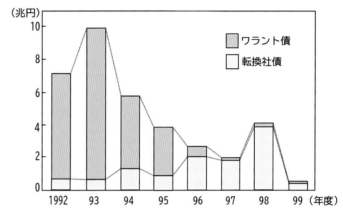

注：全産業を除く金融保険業
資料：IBJ-NIKKO DATA BASE より日本興業銀行が集計

■エクイティ債残存シミュレーション（全産業）

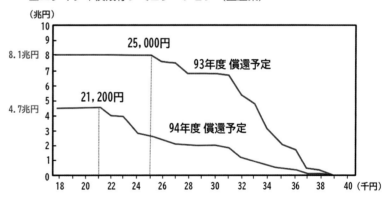

注：集計対象は東証一部上場企業発行債権のみ、1992年1月現在
資料：IBJ-NIKKO DATA BASE より日本興業銀行が集計
　　　『大調整期　日本経済の試練』より抜粋

　また、バブルの崩壊後の資産デフレ不況による国内消費の低迷と財テクの失敗による金利負担の上昇等により財務体質が低下して、一流企業の損益分岐点は上昇した（悪化した）。このようなことは、売上前年比の減少程度では説明できない。この結果、大企業では生産調整などの在庫調整では対応できずに、更なる対策として大幅な人員整理が始まっている。このことはバブル期において、企業の利益に対する欲望がいかに強く、そのために巨額の資金を導入したことを証明している。

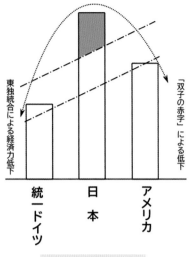

■バブル時の経済力

東独統合による経済力低下

「双子の赤字」による低下

統一ドイツ　日本　アメリカ

米・独の停滞により
日本に資本が集中

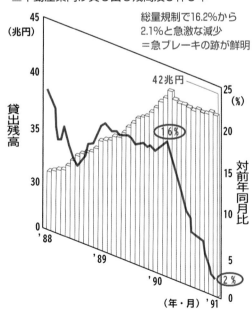

■不動産業向け貸し出し残高及び伸び率

総量規制で16.2%から
2.1%と急激な減少
＝急ブレーキの跡が鮮明

45
（兆円）

40

42兆円

25
（%）

35

16%

20

30

15

0

10

5

16%
2%

0

'88　　'89　　'90　　'91
（年・月）

貸出残高

対前年同月比

🖪第３の潮流

　冷戦の終結と旧ソ連の崩壊に代表される国際情勢の急変は、今まで防衛の目的で障壁となっていた国際的な資金環流の壁を消滅させた。また、日本・アメリカ・ドイツと三極化した経済の内、アメリカとドイツの経済が弱体化したために、日本だけが投資対象として残る形となった。アメリカの経済後退は、LDC（低開発国向けの輸出）の不良債権化、LBO（企業買収向けの貸出金）の焦げ付き、LAND（不動産関連融資）の不良債権化が大きく影響しており、これらの影響で財政赤字が増加し、貿易赤字と合わせて、経済が大きく後退した。ドイツは東ドイツ統合のための財政負担が大きく経済を阻害している。このように世界で行き場を失った国際的な巨額の資本が、投資利益を求めて日本に集中する環境ができあがっていったことが第３の潮流である。

信用供与に利用された土地

　前述した３つの大きく強い力が合流した環境において、日本においては土地が資金調達を行う際の「企業の信用力を測るものさし」として利用された。「ものさし」の基準は、企業が所有する土地を時価で評価して、そこにある含み資産をもって企業の信用力を測るところにある。

　これにより土地は、実質的な価値でなく、株と同じ様に将来どの程度上昇するかという思感で判断される相対的な価値で評価されることとなり、企業の利益への欲望とそれを実現するため金融環境によって、企業は調達した資金を更なる企業信用の増大のために株や土地に投入した。しかし、供給サイドの不動産業は、この急激な企業の需要に対して十分な土地の供給をできなかったために、地価が実態と乖離した価格へ押し上げられることとなった。これに巻き込まれる形で宅地の地価も上昇して、国民にとって住宅が購入できない状態となったことから、地価を抑制するために土地に関する様々な規制が実施された。規制は税制・土地取引・金融といった３方面から行われ、これらの規制によって土地ががんじがらめに縛られ身動きが取れなくなったことが第１の問題である。

　また、その規制の中でも金融の総量規制は住宅産業にとって、あたかも高速道路上でランプなしの急ブレーキをかけられた状態と同じであり、気がついた時には巻き込まれていた形となった。

　株や証券は前述した通り、コンピューターを介して取り引きが行われているため、変化するスピードは極めて早い。また、先物取引などもあり、全てが即時に実体を伴わない面もある。

しかし、土地取引は、現実に資金を準備する必要があること、流通するスピードは人が歩くスピードで動くために、経済環境の動きに俊敏に対応できなかった。このような不動産市場の性格上、総量規制によってブレーキランプなしで、急ブレーキをかけられたことによって貸出残高の伸び率は16％から2％まで急激に減少し、住宅産業は対応策を取る間もなく、バブル高値で仕入れた不動産だけが取り残されたことが第2の問題である。住宅産業は、今、この2つの問題に挟まれて困窮している。

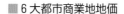

■6大都市商業地地価

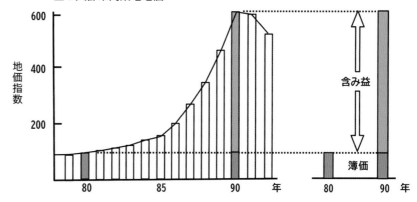

バブル経済における金融問題と土地問題の密接な関係

　我国のバブル経済は土地をベースに資産を膨張させた。これは、地価が絶対下がらないという土地神話と土地を信用供与の中心においた金融システムを背景として引き起こされたものである。しかし、金融問題に土地問題が密接に関わり、バブル経済が崩壊した今、日本経済全般にわたって深刻な問題を引き起こしていることは、一般にはほとんど理解されていない。ここでは、その仕組の概要を図解することで金融と土地問題の核心の理解を深め、その解決すべき方向性を明らかにしていくことを目的としている。

■1 土地神話──地価は下がらない

　地価は永遠に上昇を続ける。地価上昇率は金利を上回るとい

■エクイティ債の変化

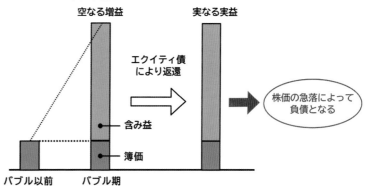

う土地神話により、土地は金融の裏付けとして、信用供与の最大のものとなった。

2「含み益」が資金調達のベース──日本型金融の特徴

　土地の簿価と時価の差が含み益となる。前記の128倍というような高利回りの資産として、我国の企業経営の重要な基盤となった。

3土地の担保評価の変化
──バブル期にはオーバーローンが発生

　バブル前には土地担保の評価は時価の7割が一般であった。しかし、1985年以降の急激な地価の上昇により、それを前提とした時価を超える評価（オーバーローン）が発生した。これにより、企業の資金調達力は急激に高まった。

■銀行の貸し増し

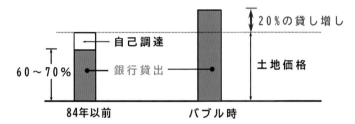

4「Q理論」により地価の上昇と株価の上昇がリンク

　ある企業の評価の妥当性を計る指標として、Qレシオという指標がある。Qレシオは株価を企業の資産の時価総額で割った数値で、日本企業のほとんどはこれが大きく1を下回っていた。「Qの理論」家は地価が完全にその土地の将来収益を反映するものとして、企業成長の証とした。したがって、急激な地価の膨張によってQはますます引き下がり、株価の評価が低すぎるという論調をさらに拡大させ、株価の上昇を正当化した。これは株価と地価の上昇が完全にリンクしていたことの一つの証明となる。

5エクイティファイナンスの信用創造の仕組み

　エクイティファイナンスによる企業の資金調達額は、バブル期に急膨張した。1985〜89年の5年間で約95兆円にのぼる巨額な資金はどうしてつくられたのか。

(a)過去の保有地の含み益の拡大を背景としたエクイティの発行の増大

　企業が長年保有していた土地の資産価値が1985年以降の地価の急上昇によって膨張し、含み益を増大させた。この含み益の膨張を信用の背景として、エクイティファイナンスの発行を

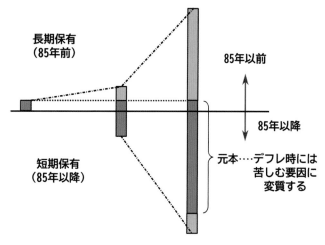

■エクイティ債の元本の増加

長期保有
（85年前）

85年以前

85年以降

短期保有
（85年以降）

元本……デフレ時には
苦しむ要因に
変質する

■エクイティ債発行高

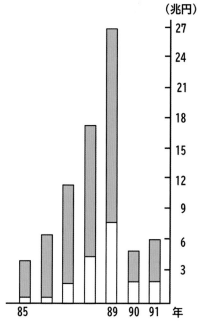

（兆円）

27
24
21
18
15
12
9
6
3

85　　　　89　90　91　年

拡大させた。

(b)**エクイティファイナンスによる資金調達額の急増**

　エクイティファイナンスによる資金調達額は1985年から89年まで地価の急上昇に比例して増加した。5年間の累計で約95兆円という巨額になった。

(c)**調達資金の約3分の2の金額がさらに株や土地に投資された**

　エクイティによる調達資金の約3分の1は設備投資に使われ、残りの資金（約60兆円）はさらに株や土地に投資された。そして、新たな土地への投資がこの時期には1年ごとに莫大な含み益を発生させた。

(d)**長期保有の土地と新規購入の土地の含み益が合算して含み益を急膨張**

　バブル経済は1985年以前に保有していた土地の含み益の増大とあわせて、85年以降に購入した土地の含み益を短期に膨張し、新たなエクイティファイナンスの発行を押し進めた。

(e)**土地を中心としたマネーが自己増殖する循環システム**

　以上のように、土地を資金調達のよりどころとして、土地の含み益がエクイティの発行を拡大させ、そこでの調達資金によってさらに土地を購入し、その含み益がさらに膨張し、それによりさらに資金調達を容易にするという一種の循環システムが生まれていた。

6 **急激な株価と地価の下落によって企業において何が問題となっているのか**

(a)**株価の急落によってエクイティファイナンスの償還が困難になっている**

　エクイティファイナンスは、償還の時期が迫っているが、株価の急落によって、株への転換が困難になり、現金による返済を迫られることになった。返済資金の調達のためには土地を担保とする借り入れが必要であるが、土地のデフレにより資金調

「バブルクリアプラン」概要

達能力が減少している、地価に含み益が残っている間はまだ良いが、更に土地のデフレが進行すれば大きく経営を圧迫する。

■日経平均株価の推移

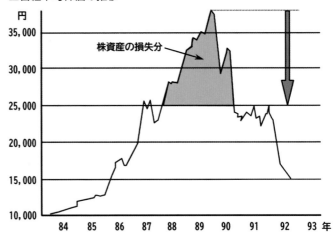

(b)株による損金と土地購入費の返済資金が経営を圧迫する

　エクイティによる調達資金の株や土地への資金運用が破綻した。株価の急落により、株の総資産は300兆円程度減少した。実際の損金の額は判らないが、巨額であることは同違いない。また土地代の金利返済が経営を圧迫しており、損切りを前提としての土地の売却も始まり、資産デフレを加速することになる。これが株価を引き下げる要素として働き、バブルと逆の悪循環による資産デフレを加速することになる。これを仮に負のバブル現象と呼ぶが、この事態が進めば企業経営は破綻してしまう。

■第2次デフレ

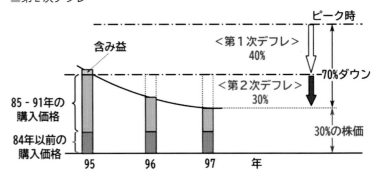

■負の加算の基本パターン

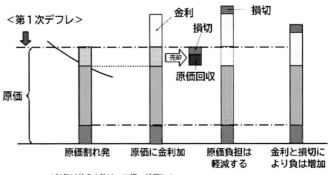

これからの経済対策

「バブルクリアプラン」では、バブル対策として「相続税の免税債」を提案しました。これはバブルを急停止させると、企業の連鎖倒産など社会経済に甚大な影響を与えることから、①土地のデフレを80％程度に留め、②20年以上にわたって清算することで、経済を軟着陸させることを狙った提案でした。本書では、この対策案については省略しています。提案の内容は「バブルクリアプラン」全文をご覧ください。

日本や世界の経済状況

現在、アメリカの不動産不況や銀行倒産による信用不安など、バブル期と似た環境になってきています。日本もバブル期ほどの急激な悪化は見られませんが、金融機関の不動産向け貸出額はバブル期の50兆円を超えて、80兆円に達しています。

近い将来発生する経済危機の対策として、私は次の3つの方法を提案します。

それは、①田んぼの発電所、②マンションの無料建て替え、③シルバータウンの建設です。例えばニューディール政策のように、経済危機が起こると、国は大きな公共事業を行って経済の立て直しを図ります。では、何に投資をすれば日本のためになるのでしょうか。①エネルギーの自給率を自然エネルギーで上げる、②老朽化しているが建て替えられないマンションについて「所有権」を「利用権」に転換することで建て替えを円滑に実施できるようにする、③高齢社会が進展する中で高齢者が健康で経済的にも自立して暮らせるシルバータウンを日本各地に建設する、という3つの投資先を提案します。

そしてその資金は、「建設国債」を発行して、日本銀行が保有する500兆円を超す「赤字国債」と交換することで調達します。建設国債と赤字国債を交換することで、日本の赤字を減らして、なおかつ未来への投資を行う方法です。

3つの用意

2012年、東日本大震災により福島第一原子力発電所で事故が発生しました。

原発の危険性が認識され、原発に代わるエネルギー（電源）として太陽光発電が注目されるようになりました。そして、田んぼでお米をつくりながら上空を利用して発電する「田んぼの発電所」が、当社の方向性に新たに加わりました。

さらに、300年住宅の発展型として、「マンションの無料建替え」を加えています。100年以上マンションに住むことができる、新たな方式です。

　いずれの提案も大きな資金を必要とします。このお金をどこから持ってくるのかを工夫するのです。つまり、日本が抱える赤字国債の流用を行います。その方法として、政府が発行できる建設国債を使います（詳細は前節の特許申請内容をご参照ください）。現在、日銀は金融緩和策により、500兆円以上の赤字国債を買い入れています。日銀にある赤字国債と政府発行の建設国債を等価交換して資金をつくるのです。

　交換によって日銀には建設国債が集まります。このままでは使えないので、このお金をGPIF（年金積立金管理運用独立行政法人）に無償譲渡します。GPIFは4つの課題へ投資を行い、活きたお金として使用します。重要なのは、投資したお金がどのようにして返金（回収）されるかです。田んぼの発電所では、国民の電気代として支払い（回収）が行われます。

お金の使い方

　私が考える「日本の中で困ること」の第1位は、エネルギーがないことです。

　外国に依存することなく、自前のエネルギーで賄うことができれば、国の独立性を堅持できます。太平洋戦争でもエネルギーを封鎖されて開戦につながりました。現在のロシアによるウクライナ侵攻も、天然ガスを交渉材料にして西側諸国に圧力をかけています。エネルギーを他国に依存しなければ、自立できます。

　第2位は、1,000兆円を超える国債の発行残高です。日本の国力は、この赤字国債の上に成り立っています。この大量の借金が国民の大きなストレスになっているのです。

　第3位は少子高齢化による年金財源の枯渇です。将来、年金の財源が不足することが確実視されており、大きな心配事です。現在のシルバー世代を借金で養っているのは、歴史的に見て「夢の国」であるような状況です。この状況は長くは続きません。この予測を覆すために、何ができるかを考えることです。

　歴史を振り返ると、例えば1930年代の世界恐慌の際には、アメリカはダムをつくり、ドイツはヒットラーがアウトバーンと戦車を大量につくりました。日本では、二・二六事件の後、戦艦大和を建造しました。いずれも結果的に大戦につながりました。今回のプーチンも、国の立て直しのため天然ガスの開発を行い、国力を回復させ、ウクライナへの侵攻につながりました。

万が一恐慌が起こった場合の対策としては、大量のお金を投入することに尽きます。リーマンショックの時の救済にも現れています。この方式の場合、救済した政府に大量の負債が溜まることになります。いつ噴火するか分からならない火山を抱えているような状況です。果たして、この方法の繰り返しでよいのでしょうか。

　この本は、日本の経営についての提案です。エネルギーとして石炭を輸入して電気をつくっていますが、この石炭を輸入しない方式が一番有効です。年4兆円の支出を削減できることになるのです。また自動車の燃料として、石油の輸入に7兆円を使っています。次世代のEV（電気自動車）化に備えて、これもなくすことができます。エネルギーの輸入を止めることで、合わせて11兆円の経済効果が生じるのです。

日本のGDPを上回る赤字国債の発行を減少させる

　2022年度予算で、歳入107兆5,964億円のうち、税収入は55兆2,910億円、特例公債（赤字国債）は30兆6,750億円です。

　2022年の日本のGDPは約556.8兆円（内閣府発表）ですが、同年の普通国債の発行残高は、1,042兆4,369億円に達しています。このGDPを超える国債の発行残高をどのように減少させるかが重要です。国がデフォルトすると公的な資金、医療、年金、教育の費用を十分に支払うことができなくなってしまいます。

　赤字国債に対応するには、増税、経済成長、低金利、インフレ、戦争、そしてデフォルトなどがあります。特に、国がデフォルトすると公的な支出ができなくなり、ギリシャのように年金生活者を直撃します。年金収入の40％カットが長期的に行われます。デフォルトが続く期間は、短くて3年、他国の例では10年となり、3,000万人の年金受給者に大きな影響を与えることになるのです。

国債の誕生

　国債の歴史は、16世紀のオランダに遡ります。神聖ローマ帝国のカール5世は、フランスとの戦争で巨額の資金が必要になったため、領地だったネーデルラント連邦（オランダ）の議会に対して税収を返済資金として借入を行いました。つまり、議会の信用を利用して、税収を担保に、現在の国債と同じような仕組みをつくったのです。皇帝などの為政者に直接お金を貸すと、徳政令などで借金を踏み倒される心配がありますが、国

の機関である議会を利用すれば、そのようなリスクは少ないと考えられたのです。

その後、1692年に、イギリス議会で特定の税を担保とした国債の発行に関する法律が成立しました。つまりイギリスおいて、「国債」が制度として確立されたのです。

国債はこのような変遷を辿って誕生しました。日本でも東日本大震災の際に建設国債が発行され、復興税として課税されています。本書で提案しているのは、発行した赤字国債の返済ではなく、エネルギー開発の「建設国債」です。建築でいえば、土地と建物の等価交換と同じです。

価値観の変革──建物本位制へ

■金本位制の歴史

近代の金本位制は、17世紀から18世紀にかけてヨーロッパで広まりました。この時期、多くの国が金を基準として通貨を発行し、各国が金貨の規格を1オンス（31グラム）、23金（金の含有量が96％以上）に統一したことから、国際的な取引においても金が主要な決済手段となりました。

日本でも1870（明治3）年、1/2オンス（15グラム）の金貨が発行されました。左の写真は1905年に大日本帝国が発行した1/2オンスの金貨です。

発行した紙幣の裏付けとして金が用いられ、貿易が行われました。日本は第1次世界大戦の戦争特需で景気が良くなり、大量の金が流入しました。このまま好景気が続くと思い込み、輸入量を増加したことによって、再び金は国外に流出しました。

その後、1929年に世界大恐慌に突入したことから、日本は対策として金本位制を止めました。アメリカだけは金本位制を続けましたが、1971年、リチャード・ニクソン大統領は、ブレトンウッズ体制下でのドルと金の固定交換レートを一方的に解除しました（ニクソン・ショック）。これにより、金本位制は事実上崩壊し、可変為替レート制度が広まりました。

しかし、近年のアメリカは紙幣の増刷が著しく、ドルの信用力が低下しています。そのため、テキサス州など一部の州では「金本位制」を復活させる動きがあります。

■金本位制から土地本位制を経て、「建物本位制」へ

バブル時代は「土地本位制」とも言えるような、「土地」を価値の基準とする状況でした。金融機関は今でも土地を担保として押さえます。しかし、建物が100年以上使えるようになれば、「建物」を価値基準とすることが可能になります。「金」や「土地」に代わり、100年間住めるマンションを建て替え市場か

ナポレオン金貨（1オンス＝31ｇ）

二十圓金貨（1/2オンス＝15ｇ）

ら普及させて、「100年マンションの市場」を形成することで、新たな「建物本位制」が誕生します。建物が長く保つことにより、建物から得られる収入が価値基準となります。建物の容積（床面積）が土地に変わる価値となります。

　「住み続けること」が可能な住宅を社会的に成立させ、一生を通して暮らしが保全されることを明らかにします。それにより安定した生活と文化的な環境が育まれていくことが、「300年住宅」の目的とするものです。

おわりに

今、現実にウクライナで戦争が起きています。毎日毎日、テレビで戦争の映像をこれでもかと伝えています。勝つまでは止まらない、太平洋戦争時の日本のような全面降伏しかない、人の業のなせるわざです。始まれば平和の声など届きません。実に愚かです。

私はこうした状況に至る前に、歴史に学び、どうしたら平和を続けられるかを考えてきました。

第1にはエネルギーです。国際収支が赤字の時はエネルギーを買うことができなくなります。田んぼの発電所は、稲をつくる時間の分配です。お米をつくりながら、上空で電気をつくる仕組みの提案です。稲に影がかかるのを1日3.5時間以内と定め、残りの9時間の日照を稲のために保っています。田んぼの発電所では、田んぼの上空を「公的空間」と考えます。「公」とは入会地や漁業権のような「コモンズ」のことです。上空の「コモンズ」については、公的な投資ができる場とします。

公的なお金は、赤字国債と建設国債の交換でつくります。返済は電気代で支払います。エネルギー問題はこうしたら解決できる、という方法を提案しています。私たちが行った実験は、国家的問題の核心に至ったものであると信じています。

日本では赤字国債の発行で福祉を行っています。借金で借金を返済するやり方は早晩に破綻します。一旦方向を変えて、進まなければなりません。

マンションの無料建て替えについても、建物を100年保たせるために十分な試みを行っています。これは空想でなく、現実に、確実にできることです。建物が100年保てば、支払い開始の時間を30年ずらすことにより、無料建て替えができます。

本書の提案は、日本にとっての心配事である、①赤字国債を減らせるか、②エネルギーをどうするか、③年金を続けられるか、④マンションにいつまで住めるか、の解決策です。

これまで、こうした心配事を解決する具体的な提案はなされていません。特に年金と住まいは身近な問題です。問題解決法はロータリーエンジンと同じです。赤字国債と建設国債の交換によりできたお金を燃料として圧縮して、この問題を解決していきます。私は建築の専門家でしかありませんが、日々の建築設計業務の中で300年住宅の提案を行い、実施しています。その中で問題解決の道が見えてきました。本書は、日常的に実施してきたことの記録です。

「××だから、それはできない」と否定せずに、「○○だから、できるようにしよう」と、どうしたらできるのかを考えましょう。現在の「流れ」に流されずに、「流れ」を変えていきましょう！

当社代表・福永博のメッセージ動画を下記のアドレスからご覧いただけます。
http://www.fari.co.jp/archives.html

福永博建築研究所代表　福永　博（ふくなが・ひろし）

1945年、福岡市生まれ。福岡大学建築学科卒業。一級建築士。歴史や文化・伝統から学び、理解したものを継承しながら、社会や地域に必要なことが何かを考え、その上で、住む人、使う人の立場に立った「建築と街づくり」を実践している。「マンションの革命」ともいえる超長期耐久マンション「300年住宅」を提唱、実現不可能ともいわれたが、建物を実際につくり上げた。150項目を超す特許を取得している。生け花の師範でもある。

■受賞歴
「シャトレ赤坂・けやき通り」第1回福岡市都市景観賞
「北九州公営住宅　西大谷団地」第7回福岡県建築文化大賞（いえなみ部門）
「ガーデンヒルズ浄水Ⅰ・Ⅱ・Ⅲ」プライベートグリーン設計賞
「けやき通りの景観整備及び環境向上運動」第11回福岡市都市景観賞
「コンテナ浴室」新建築家技術者集団新建賞
「レンガの手摺り壁」一般社団法人発明協会発明奨励賞
「応急仮設住宅計画コンペ」奨励賞
「300年住宅プロジェクト」長期優良住宅先導的モデル事業（国交省）採択
「米と発電の二毛作（田んぼの発電所）」太陽光発電多用途化実証事業（NEDO）採択

■著書
『博多町づくり』（私家版）
『SCENE　建築家が撮ったヨーロッパ写真集』（私家版）
『バブルクリアプラン』（私家版）
『300年住宅　時と財のデザイン』（日経BP出版センター、1995年）
『300年住宅のつくり方』（建築資材研究社、2009年）
『風流暮らし　花と器』（海鳥社、2012年）
『米と発電の二毛作』（海鳥社、2014年）
『田んぼの発電所』（海鳥社、2015年）
『破綻後、経済を立て直す具体策　3つの用意』（海鳥社、2017年）

［編集スタッフ］草野寿康／福永晶子

株式会社福永博建築研究所
〒810−0042　福岡市中央区赤坂2丁目4番5号　シャトレけやき通り306号
電話 092(714)6301　　E-mail info@fari.co.jp
福永博建築研究所ホームページ　http://www.fari.co.jp/
田んぼの発電所（米と発電の二毛作）ホームページ　https://www.pv-rice.com/

エネルギー・マンション・年金・赤字国債　問題解決提案書

2024年1月16日　第1刷発行
著　者　福永博建築研究所
発行者　杉本雅子
発行所　有限会社海鳥社
　　　　　〒812−0023　福岡市博多区奈良屋町13番4号
　　　　　電話092(272)0120　FAX092(272)0121　http://www.kaichosha-f.co.jp
印刷・製本　有限会社九州コンピュータ印刷
ISBN978-4-86656-157-8　［定価は表紙カバーに表示］

シャトレ赤坂・シャトレけやき通り
（第1回福岡市都市景観賞受賞）

アトリエ平和台
（300年住宅）

浄水通りのまちづくり
（5棟））

シーサイドももちコンペ

マリナタウンコンペ

県庁跡地コンペ

四王寺坂のまちづくり

警固神社 神徳殿

フレアージュ桜坂

福永博建築研究所の出版物

＊購入ご希望の方は福永博建築研究所までご連絡ください（価格は税別）

300年住宅　時と財のデザイン
（1995年／1942円）

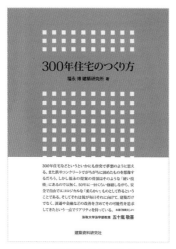

300年住宅のつくり方
（2009年／2800円）

風流暮らし　花と器
（2012年／1700円）

米と発電の二毛作
（2014年／1000円）

田んぼの発電所
（2015年／1000円）

破綻後、経済を立て直す具体策　3つの用意
（2017年／2000円）

SCENE　建築家が撮ったヨーロッパ写真集
（非売品）

博多町づくり（絵本）
（非売品）

非売品の出版物は
当社のホームーページ上で
ご覧いただけます。
http://www.fari.co.jp/archives.html

令和6年度

予 算 事 務 提 要

令和 6 年 6 月